개념+연산 파워

초등수학

6·2

구성과 특징

1 전 단원 구성으로 교과 진도에 맞춘 학습!

2 키워드로 핵심 개념을 시각화하여 개념 기억력 강화!

3 '기초 드릴 빨강 연산 ▶ 스킬 업 노랑 연산 ▶ 문장제 플러스 초록 연산'으로 응용 연산력 완성!

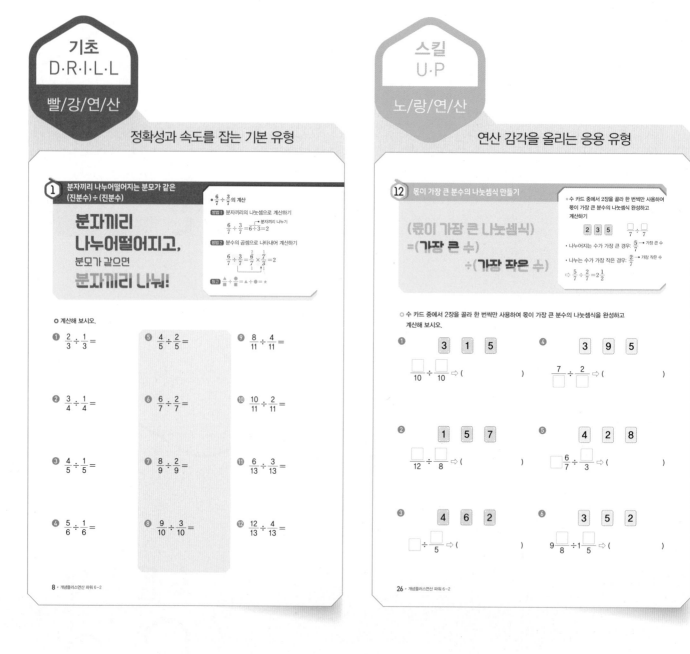

기초 D·R·I·L·L
빨/강/연/산

정확성과 속도를 잡는 기본 유형

1 분자끼리 나누어떨어지는 분모가 같은
(진분수)÷(진분수)

분자끼리 나누어떨어지고,
분모가 같으면
분자끼리 나눠!

• $\frac{6}{7} \div \frac{3}{7}$ 의 계산

방법1 분자끼리의 나눗셈으로 계산하기
$$\frac{6}{7} \div \frac{3}{7} = 6 \div 3 = 2$$ ← 분자끼리 나누기

방법2 분수의 곱셈으로 나타내어 계산하기
$$\frac{6}{7} \div \frac{3}{7} = \frac{6}{7} \times \frac{7}{3} = 2$$

참고 $\frac{\blacksquare}{\bullet} \div \frac{\blacktriangle}{\bullet} = \blacksquare \div \blacktriangle = \star$

○ 계산해 보시오.

1 $\frac{2}{3} \div \frac{1}{3} =$

2 $\frac{3}{4} \div \frac{1}{4} =$

3 $\frac{4}{5} \div \frac{1}{5} =$

4 $\frac{5}{6} \div \frac{1}{6} =$

5 $\frac{4}{5} \div \frac{2}{5} =$

6 $\frac{6}{7} \div \frac{2}{7} =$

7 $\frac{8}{9} \div \frac{2}{9} =$

8 $\frac{9}{10} \div \frac{3}{10} =$

9 $\frac{8}{11} \div \frac{4}{11} =$

10 $\frac{10}{11} \div \frac{2}{11} =$

11 $\frac{6}{13} \div \frac{3}{13} =$

12 $\frac{12}{13} \div \frac{4}{13} =$

8 • 개념플러스연산 파워 6-2

스킬 U·P
노/랑/연/산

연산 감각을 올리는 응용 유형

12 몫이 가장 큰 분수의 나눗셈식 만들기

(몫이 가장 큰 나눗셈식)
=(가장 큰 ÷)
÷(가장 작은 ÷)

• 수 카드 중에서 2장을 골라 한 번씩만 사용하여
몫이 가장 큰 분수의 나눗셈식 완성하고
계산하기 2 3 5 $\frac{\Box}{7} \div \frac{\Box}{7}$

• 나누어지는 수가 가장 큰 경우: $\frac{5}{7}$ ← 가장 큰 수

• 나누는 수가 가장 작은 경우: $\frac{2}{7}$ ← 가장 작은 수

⇨ $\frac{5}{7} \div \frac{2}{7} = 2\frac{1}{2}$

○ 수 카드 중에서 2장을 골라 한 번씩만 사용하여 몫이 가장 큰 분수의 나눗셈식을 완성하고
계산해 보시오.

1 3 1 5

$\frac{\Box}{10} \div \frac{\Box}{10}$ ⇨ ( )

2 1 5 7

$\frac{\Box}{12} \div \frac{\Box}{8}$ ⇨ ( )

3 4 6 2

$\frac{\Box}{} \div \frac{\Box}{5}$ ⇨ ( )

4 3 9 5

$\frac{7}{\Box} \div \frac{2}{\Box}$ ⇨ ( )

5 4 2 8

$\frac{\Box}{} \div \frac{6}{3}$ ⇨ ( )

6 3 5 2

$9\frac{\Box}{8} \div 1\frac{\Box}{5}$ ⇨ ( )

26 • 개념플러스연산 파워 6-2

개념+연산 파워 로 응용 연산력을 완성해요!

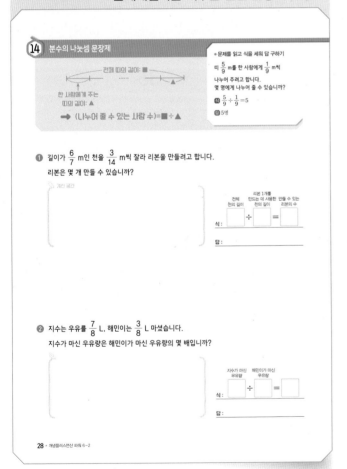

문장제 P·L·U·S
초/록/연/산

문제해결력을 키우는 연산 문장제 유형

⑭ 분수의 나눗셈 문장제

전체 띠의 길이: ■

한 사람에게 주는
띠의 길이: ▲

➡ (나누어 줄 수 있는 사람 수)=■÷▲

* 문제를 읽고 식을 세워 답 구하기

띠 $\frac{5}{9}$ m를 한 사람에게 $\frac{1}{9}$ m씩
나누어 주려고 합니다.
몇 명에게 나누어 줄 수 있습니까?

식 $\frac{5}{9} \div \frac{1}{9} = 5$

답 5명

❶ 길이가 $\frac{6}{7}$ m인 천을 $\frac{3}{14}$ m씩 잘라 리본을 만들려고 합니다.
리본은 몇 개 만들 수 있습니까?

계산 공간

식:
전체 천의 길이 ÷ 리본 1개를 만드는 데 사용할 천의 길이 = 리본의 수

답:

❷ 지수는 우유를 $\frac{7}{8}$ L, 해민이는 $\frac{3}{8}$ L 마셨습니다.
지수가 마신 우유량은 해민이가 마신 우유량의 몇 배입니까?

식:
지수가 마신 우유량 ÷ 해민이가 마신 우유량 =

답:

28 · 개념플러스연산 파워 6-2

평가

단원별 응용 연산력 평가

평가 1. 분수의 나눗셈

○ 계산해 보시오.

1 $\frac{8}{9} \div \frac{4}{9} =$

2 $\frac{12}{13} \div \frac{3}{13} =$

3 $\frac{3}{7} \div \frac{6}{7} =$

4 $\frac{8}{14} \div \frac{5}{14} =$

5 $\frac{5}{6} \div \frac{5}{12} =$

6 $\frac{5}{9} \div \frac{3}{10} =$

7 $9 \div \frac{3}{5} =$

8 $15 \div \frac{10}{11} =$

9 $\frac{6}{5} \div \frac{4}{7} =$

10 $\frac{35}{12} \div \frac{7}{8} =$

11 $1\frac{5}{6} \div \frac{7}{10} =$

12 $3\frac{3}{8} \div \frac{9}{16} =$

13 $2\frac{1}{4} \div 3\frac{1}{3} =$

14 $4\frac{5}{7} \div 1\frac{7}{8} =$

34 · 개념플러스연산 파워 6-2

✱ 초/록/연/산은 수와 연산 단원에만 있음.

차례

분수의 나눗셈

● 맞힌 개수와 걸린 시간을 작성해 보세요.

학습 내용	일 차	맞힌 개수	걸린 시간
⑧ 그림에서 분수의 나눗셈하기	8일 차	/14개	/15분
⑨ 앞의 수를 뒤의 수로 나눈 몫 구하기			
⑩ 곱셈식에서 어떤 수 구하기	9일 차	/16개	/16분
⑪ 나눗셈식에서 어떤 수 구하기			
⑫ 몫이 가장 큰 분수의 나눗셈식 만들기	10일 차	/12개	/15분
⑬ 몫이 가장 작은 분수의 나눗셈식 만들기			
⑭ 분수의 나눗셈 문장제	11일 차	/5개	/5분
⑮ 서로 다른 단위가 섞여 있는 분수의 나눗셈 문장제	12일 차	/5개	/5분
⑯ 바르게 계산한 값 구하기	13일 차	/5개	/12분
평가 1. 분수의 나눗셈	14일 차	/20개	/25분

분자끼리 나누어떨어지고,
분모가 같으면
분자끼리 나눠!

- $\dfrac{6}{7} \div \dfrac{3}{7}$의 계산

방법1 분자끼리의 나눗셈으로 계산하기

$$\dfrac{6}{7} \div \dfrac{3}{7} = \overset{\text{● 분자끼리 나누기}}{6 \div 3} = 2$$

방법2 분수의 곱셈으로 나타내어 계산하기

$$\dfrac{6}{7} \div \dfrac{3}{7} = \dfrac{\overset{2}{6}}{7} \times \dfrac{7}{\underset{1}{3}}^{1} = 2$$

참고 $\dfrac{\blacktriangle}{\blacksquare} \div \dfrac{\bullet}{\blacksquare} = \blacktriangle \div \bullet = \bigstar$

○ 계산해 보시오.

① $\dfrac{2}{3} \div \dfrac{1}{3} =$

② $\dfrac{3}{4} \div \dfrac{1}{4} =$

③ $\dfrac{4}{5} \div \dfrac{1}{5} =$

④ $\dfrac{5}{6} \div \dfrac{1}{6} =$

⑤ $\dfrac{4}{5} \div \dfrac{2}{5} =$

⑥ $\dfrac{6}{7} \div \dfrac{2}{7} =$

⑦ $\dfrac{8}{9} \div \dfrac{2}{9} =$

⑧ $\dfrac{9}{10} \div \dfrac{3}{10} =$

⑨ $\dfrac{8}{11} \div \dfrac{4}{11} =$

⑩ $\dfrac{10}{11} \div \dfrac{2}{11} =$

⑪ $\dfrac{6}{13} \div \dfrac{3}{13} =$

⑫ $\dfrac{12}{13} \div \dfrac{4}{13} =$

⑬ $\dfrac{9}{14} \div \dfrac{3}{14} =$

⑭ $\dfrac{4}{15} \div \dfrac{2}{15} =$

⑮ $\dfrac{8}{15} \div \dfrac{4}{15} =$

⑯ $\dfrac{14}{15} \div \dfrac{7}{15} =$

⑰ $\dfrac{15}{16} \div \dfrac{3}{16} =$

⑱ $\dfrac{6}{17} \div \dfrac{2}{17} =$

⑲ $\dfrac{8}{17} \div \dfrac{2}{17} =$

⑳ $\dfrac{10}{17} \div \dfrac{5}{17} =$

㉑ $\dfrac{12}{17} \div \dfrac{3}{17} =$

㉒ $\dfrac{6}{19} \div \dfrac{3}{19} =$

㉓ $\dfrac{16}{19} \div \dfrac{2}{19} =$

㉔ $\dfrac{18}{19} \div \dfrac{3}{19} =$

㉕ $\dfrac{8}{21} \div \dfrac{4}{21} =$

㉖ $\dfrac{20}{21} \div \dfrac{5}{21} =$

㉗ $\dfrac{15}{22} \div \dfrac{5}{22} =$

㉘ $\dfrac{21}{22} \div \dfrac{3}{22} =$

㉙ $\dfrac{18}{23} \div \dfrac{2}{23} =$

㉚ $\dfrac{20}{23} \div \dfrac{4}{23} =$

㉛ $\dfrac{12}{25} \div \dfrac{3}{25} =$

㉜ $\dfrac{21}{26} \div \dfrac{7}{26} =$

㉝ $\dfrac{25}{27} \div \dfrac{5}{27} =$

분자끼리 나누어떨어지지 않고, 분모가 같으면 몫을 분수로 나타내!

• $\dfrac{4}{7} \div \dfrac{3}{7}$의 계산

방법1 분자끼리의 나눗셈으로 계산하기

$$\dfrac{4}{7} \div \dfrac{3}{7} = 4 \div 3 = \dfrac{4}{3} = 1\dfrac{1}{3}$$

└ 분자끼리 나누기

몫을 분수로 나타내기

방법2 분수의 곱셈으로 나타내어 계산하기

$$\dfrac{4}{7} \div \dfrac{3}{7} = \dfrac{4}{7} \times \dfrac{7}{3} = \dfrac{4}{3} = 1\dfrac{1}{3}$$

참고 $\dfrac{\blacktriangle}{\blacksquare} \div \dfrac{\bullet}{\blacksquare} = \blacktriangle \div \bullet = \dfrac{\blacktriangle}{\bullet}$

○ 계산해 보시오.

❶ $\dfrac{1}{3} \div \dfrac{2}{3} =$

❷ $\dfrac{1}{4} \div \dfrac{3}{4} =$

❸ $\dfrac{2}{5} \div \dfrac{3}{5} =$

❹ $\dfrac{5}{7} \div \dfrac{6}{7} =$

❺ $\dfrac{5}{8} \div \dfrac{3}{8} =$

❻ $\dfrac{5}{9} \div \dfrac{2}{9} =$

❼ $\dfrac{9}{10} \div \dfrac{7}{10} =$

❽ $\dfrac{10}{11} \div \dfrac{9}{11} =$

❾ $\dfrac{7}{12} \div \dfrac{5}{12} =$

❿ $\dfrac{11}{13} \div \dfrac{4}{13} =$

⓫ $\dfrac{13}{14} \div \dfrac{9}{14} =$

⓬ $\dfrac{14}{15} \div \dfrac{3}{15} =$

⑬ $\dfrac{3}{16} \div \dfrac{7}{16} =$

⑭ $\dfrac{5}{17} \div \dfrac{8}{17} =$

⑮ $\dfrac{11}{18} \div \dfrac{7}{18} =$

⑯ $\dfrac{13}{19} \div \dfrac{6}{19} =$

⑰ $\dfrac{11}{20} \div \dfrac{3}{20} =$

⑱ $\dfrac{10}{21} \div \dfrac{4}{21} =$

⑲ $\dfrac{19}{22} \div \dfrac{5}{22} =$

⑳ $\dfrac{9}{23} \div \dfrac{18}{23} =$ 분

㉑ $\dfrac{17}{24} \div \dfrac{7}{24} =$

㉒ $\dfrac{24}{25} \div \dfrac{9}{25} =$

㉓ $\dfrac{25}{26} \div \dfrac{17}{26} =$

㉔ $\dfrac{22}{27} \div \dfrac{10}{27} =$

㉕ $\dfrac{17}{28} \div \dfrac{9}{28} =$

㉖ $\dfrac{16}{29} \div \dfrac{12}{29} =$

㉗ $\dfrac{11}{30} \div \dfrac{23}{30} =$

㉘ $\dfrac{20}{31} \div \dfrac{26}{31} =$

㉙ $\dfrac{21}{32} \div \dfrac{15}{32} =$

㉚ $\dfrac{26}{33} \div \dfrac{14}{33} =$

㉛ $\dfrac{21}{34} \div \dfrac{13}{34} =$

㉜ $\dfrac{27}{35} \div \dfrac{12}{35} =$

㉝ $\dfrac{31}{36} \div \dfrac{17}{36} =$

나눗셈을 곱셈으로, 나누는 분수의

분모와 분자를 바꿔!

$$\frac{\blacktriangle}{\blacksquare} \div \frac{\bullet}{\bigstar} = \frac{\blacktriangle}{\blacksquare} \times \frac{\bigstar}{\bullet}$$

• $\dfrac{3}{4} \div \dfrac{3}{8}$의 계산

방법1 통분하여 분자끼리의 나눗셈으로 계산하기

$$\frac{3}{4} \div \frac{3}{8} = \frac{6}{8} \div \frac{3}{8} = 6 \div 3 = 2$$

분자끼리 나누기 / 통분

방법2 분수의 곱셈으로 나타내어 계산하기

$$\frac{3}{4} \div \frac{3}{8} = \frac{\overset{1}{3}}{\underset{1}{4}} \times \frac{\overset{2}{8}}{\underset{1}{3}} = 2$$

○ 계산해 보시오.

① $\dfrac{1}{2} \div \dfrac{1}{4} =$

② $\dfrac{1}{3} \div \dfrac{1}{9} =$

③ $\dfrac{2}{3} \div \dfrac{1}{5} =$

④ $\dfrac{1}{4} \div \dfrac{5}{6} =$

⑤ $\dfrac{3}{4} \div \dfrac{1}{8} =$

⑥ $\dfrac{2}{5} \div \dfrac{1}{4} =$

⑦ $\dfrac{3}{5} \div \dfrac{3}{10} =$

⑧ $\dfrac{1}{6} \div \dfrac{1}{4} =$

⑨ $\dfrac{5}{6} \div \dfrac{3}{8} =$

⑩ $\dfrac{2}{7} \div \dfrac{2}{3} =$

⑪ $\dfrac{6}{7} \div \dfrac{3}{14} =$

⑫ $\dfrac{3}{8} \div \dfrac{1}{10} =$

⑬ $\dfrac{5}{8} \div \dfrac{2}{3} =$

⑭ $\dfrac{4}{9} \div \dfrac{2}{7} =$

⑮ $\dfrac{7}{9} \div \dfrac{3}{4} =$

⑯ $\dfrac{3}{10} \div \dfrac{4}{5} =$

⑰ $\dfrac{7}{10} \div \dfrac{7}{20} =$

⑱ $\dfrac{8}{11} \div \dfrac{4}{5} =$

⑲ $\dfrac{9}{11} \div \dfrac{3}{22} =$

⑳ $\dfrac{5}{12} \div \dfrac{3}{8} =$

㉑ $\dfrac{7}{12} \div \dfrac{5}{9} =$

㉒ $\dfrac{4}{13} \div \dfrac{1}{4} =$

㉓ $\dfrac{10}{13} \div \dfrac{4}{5} =$

㉔ $\dfrac{5}{14} \div \dfrac{3}{8} =$

㉕ $\dfrac{13}{14} \div \dfrac{5}{7} =$

㉖ $\dfrac{4}{15} \div \dfrac{3}{8} =$

㉗ $\dfrac{14}{15} \div \dfrac{7}{30} =$

㉘ $\dfrac{5}{16} \div \dfrac{7}{10} =$

㉙ $\dfrac{15}{16} \div \dfrac{5}{32} =$

㉚ $\dfrac{7}{17} \div \dfrac{2}{5} =$

㉛ $\dfrac{13}{17} \div \dfrac{13}{34} =$

㉜ $\dfrac{17}{18} \div \dfrac{4}{9} =$

㉝ $\dfrac{13}{20} \div \dfrac{8}{15} =$

나눗셈을 곱셈으로,
나누는 분수의
분모와 분자를 바꿔!

$$\blacktriangle \div \frac{\bullet}{\blacksquare} = \blacktriangle \times \frac{\blacksquare}{\bullet}$$

● $6 \div \dfrac{3}{4}$ 의 계산 → 자연수가 분자의 배수인 경우

$$6 \div \frac{3}{4} = (6 \div 3) \times 4 = 2 \times 4 = 8$$
└ 자연수를 분자로 나누고 분모를 곱하기

● $4 \div \dfrac{3}{5}$ 의 계산 → 자연수가 분자의 배수가 아닌 경우

$$4 \div \frac{3}{5} = 4 \times \frac{5}{3} = \frac{20}{3} = 6\frac{2}{3}$$

○ 계산해 보시오.

① $1 \div \dfrac{1}{2} =$

② $2 \div \dfrac{1}{3} =$

③ $3 \div \dfrac{1}{4} =$

④ $4 \div \dfrac{1}{5} =$

⑤ $2 \div \dfrac{2}{3} =$

⑥ $3 \div \dfrac{3}{5} =$

⑦ $3 \div \dfrac{5}{6} =$

⑧ $4 \div \dfrac{2}{5} =$

⑨ $4 \div \dfrac{6}{7} =$

⑩ $5 \div \dfrac{5}{8} =$

⑪ $5 \div \dfrac{7}{9} =$

⑫ $6 \div \dfrac{2}{5} =$

⑬ $6 \div \dfrac{3}{8} =$

⑭ $7 \div \dfrac{4}{5} =$

⑮ $7 \div \dfrac{7}{10} =$

⑯ $8 \div \dfrac{2}{9} =$

⑰ $8 \div \dfrac{6}{11} =$

⑱ $9 \div \dfrac{3}{7} =$

⑲ $9 \div \dfrac{4}{9} =$

⑳ $10 \div \dfrac{2}{9} =$

㉑ $10 \div \dfrac{5}{12} =$

㉒ $11 \div \dfrac{3}{5} =$

㉓ $12 \div \dfrac{4}{11} =$

㉔ $12 \div \dfrac{8}{15} =$

㉕ $13 \div \dfrac{6}{7} =$

㉖ $14 \div \dfrac{2}{9} =$

㉗ $14 \div \dfrac{8}{13} =$

㉘ $15 \div \dfrac{5}{9} =$

㉙ $15 \div \dfrac{10}{17} =$

㉚ $16 \div \dfrac{4}{5} =$

㉛ $16 \div \dfrac{6}{7} =$

㉜ $18 \div \dfrac{3}{11} =$

㉝ $20 \div \dfrac{12}{13} =$

나눗셈을 곱셈으로,
나누는 분수의
분모와 분자를 바꿔!

$$\frac{\blacksquare}{\blacktriangle} \div \frac{\bullet}{\star} = \frac{\blacksquare}{\blacktriangle} \times \frac{\star}{\bullet}$$

• $\dfrac{5}{2} \div \dfrac{3}{4}$의 계산

방법1 통분하여 분자끼리의 나눗셈으로 계산하기

$$\frac{5}{2} \div \frac{3}{4} = \frac{10}{4} \div \frac{3}{4} = \overset{\bullet\, 분자끼리\, 나누기}{10 \div 3} = \frac{10}{3} = 3\frac{1}{3}$$

통분

방법2 분수의 곱셈으로 나타내어 계산하기

$$\frac{5}{2} \div \frac{3}{4} = \frac{5}{2} \times \frac{\overset{2}{\cancel{4}}}{3} = \frac{10}{3} = 3\frac{1}{3}$$

○ 계산해 보시오.

1 $\dfrac{3}{2} \div \dfrac{1}{3} =$

2 $\dfrac{5}{2} \div \dfrac{3}{7} =$

3 $\dfrac{7}{2} \div \dfrac{3}{4} =$

4 $\dfrac{4}{3} \div \dfrac{3}{5} =$

5 $\dfrac{8}{3} \div \dfrac{1}{9} =$

6 $\dfrac{11}{3} \div \dfrac{5}{6} =$

7 $\dfrac{5}{4} \div \dfrac{1}{2} =$

8 $\dfrac{9}{4} \div \dfrac{2}{9} =$

9 $\dfrac{15}{4} \div \dfrac{3}{8} =$

10 $\dfrac{8}{5} \div \dfrac{3}{10} =$

11 $\dfrac{9}{5} \div \dfrac{4}{7} =$

12 $\dfrac{14}{5} \div \dfrac{7}{15} =$

⑬ $\dfrac{7}{6} \div \dfrac{1}{3} =$

⑭ $\dfrac{11}{6} \div \dfrac{3}{4} =$

⑮ $\dfrac{13}{6} \div \dfrac{2}{5} =$

⑯ $\dfrac{10}{7} \div \dfrac{5}{6} =$

⑰ $\dfrac{12}{7} \div \dfrac{3}{8} =$

⑱ $\dfrac{16}{7} \div \dfrac{8}{9} =$

⑲ $\dfrac{9}{8} \div \dfrac{3}{10} =$

⑳ $\dfrac{13}{8} \div \dfrac{3}{4} =$

㉑ $\dfrac{25}{8} \div \dfrac{5}{12} =$

㉒ $\dfrac{10}{9} \div \dfrac{2}{15} =$

㉓ $\dfrac{13}{9} \div \dfrac{5}{12} =$

㉔ $\dfrac{28}{9} \div \dfrac{7}{18} =$

㉕ $\dfrac{13}{10} \div \dfrac{2}{7} =$

㉖ $\dfrac{17}{10} \div \dfrac{4}{15} =$

㉗ $\dfrac{21}{10} \div \dfrac{7}{12} =$

㉘ $\dfrac{12}{11} \div \dfrac{4}{5} =$

㉙ $\dfrac{16}{11} \div \dfrac{6}{7} =$

㉚ $\dfrac{20}{11} \div \dfrac{10}{13} =$

㉛ $\dfrac{13}{12} \div \dfrac{5}{6} =$

㉜ $\dfrac{25}{12} \div \dfrac{2}{9} =$

㉝ $\dfrac{35}{12} \div \dfrac{7}{15} =$

대분수를 가분수로
나타낸 후
분수의 곱셈으로
나타내어 계산해!

• $1\frac{1}{2} \div \frac{2}{3}$ 의 계산

방법 1 통분하여 분자끼리의 나눗셈으로 계산하기

$$1\frac{1}{2} \div \frac{2}{3} = \frac{3}{2} \div \frac{2}{3} = \frac{9}{6} \div \frac{4}{6}$$

대분수 → 가분수   통분

$$= 9 \div 4 = \frac{9}{4} = 2\frac{1}{4}$$

분자끼리 나누기

방법 2 분수의 곱셈으로 나타내어 계산하기

$$1\frac{1}{2} \div \frac{2}{3} = \frac{3}{2} \div \frac{2}{3} = \frac{3}{2} \times \frac{3}{2} = \frac{9}{4} = 2\frac{1}{4}$$

대분수 → 가분수

○ 계산해 보시오.

1 $1\frac{1}{2} \div \frac{1}{4} =$

2 $1\frac{1}{3} \div \frac{2}{5} =$

3 $1\frac{1}{4} \div \frac{7}{8} =$

4 $1\frac{3}{4} \div \frac{5}{6} =$

5 $1\frac{1}{5} \div \frac{3}{7} =$

6 $1\frac{3}{5} \div \frac{4}{9} =$

7 $1\frac{4}{5} \div \frac{6}{7} =$

8 $1\frac{1}{6} \div \frac{3}{10} =$

9 $1\frac{5}{6} \div \frac{5}{12} =$

10 $1\frac{4}{7} \div \frac{11}{16} =$

11 $1\frac{3}{8} \div \frac{7}{10} =$

12 $1\frac{5}{9} \div \frac{8}{15} =$

⑬ $2\dfrac{2}{3} \div \dfrac{3}{4} =$

⑳ $3\dfrac{1}{2} \div \dfrac{4}{5} =$

㉗ $4\dfrac{1}{3} \div \dfrac{2}{9} =$

⑭ $2\dfrac{1}{4} \div \dfrac{5}{8} =$

㉑ $3\dfrac{1}{3} \div \dfrac{5}{6} =$

㉘ $4\dfrac{3}{4} \div \dfrac{5}{12} =$

⑮ $2\dfrac{1}{5} \div \dfrac{2}{15} =$

㉒ $3\dfrac{2}{5} \div \dfrac{7}{10} =$

㉙ $4\dfrac{4}{5} \div \dfrac{14}{15} =$

⑯ $2\dfrac{5}{6} \div \dfrac{1}{12} =$

㉓ $3\dfrac{3}{7} \div \dfrac{8}{11} =$

㉚ $4\dfrac{1}{6} \div \dfrac{15}{16} =$

⑰ $2\dfrac{2}{7} \div \dfrac{10}{21} =$

㉔ $3\dfrac{1}{8} \div \dfrac{15}{16} =$

㉛ $5\dfrac{5}{8} \div \dfrac{9}{20} =$

⑱ $2\dfrac{5}{8} \div \dfrac{7}{18} =$

㉕ $3\dfrac{4}{9} \div \dfrac{13}{18} =$

㉜ $5\dfrac{5}{12} \div \dfrac{13}{20} =$

⑲ $2\dfrac{2}{9} \div \dfrac{5}{24} =$

㉖ $3\dfrac{3}{10} \div \dfrac{22}{25} =$

㉝ $5\dfrac{2}{15} \div \dfrac{22}{25} =$

$\bullet\, 1\dfrac{2}{3} \div 1\dfrac{1}{6}$의 계산

방법 1 통분하여 분자끼리의 나눗셈으로 계산하기

$$1\dfrac{2}{3} \div 1\dfrac{1}{6} = \dfrac{5}{3} \div \dfrac{7}{6} = \dfrac{10}{6} \div \dfrac{7}{6}$$

대분수 → 가분수 　　통분

$$= 10 \div 7 = \dfrac{10}{7} = 1\dfrac{3}{7}$$

분자끼리 나누기

방법 2 분수의 곱셈으로 나타내어 계산하기

$$1\dfrac{2}{3} \div 1\dfrac{1}{6} = \dfrac{5}{3} \div \dfrac{7}{6} = \dfrac{5}{3} \times \dfrac{\overset{2}{6}}{7} = \dfrac{10}{7} = 1\dfrac{3}{7}$$

대분수 → 가분수

대분수를 가분수로 나타낸 후 분수의 곱셈으로 나타내어 계산해!

○ 계산해 보시오.

① $1\dfrac{1}{2} \div 1\dfrac{1}{3} =$

② $1\dfrac{2}{3} \div 2\dfrac{1}{2} =$

③ $1\dfrac{1}{4} \div 3\dfrac{4}{7} =$

④ $1\dfrac{3}{5} \div 2\dfrac{2}{3} =$

⑤ $1\dfrac{5}{6} \div 1\dfrac{3}{8} =$

⑥ $1\dfrac{2}{7} \div 1\dfrac{5}{6} =$

⑦ $1\dfrac{3}{7} \div 2\dfrac{2}{5} =$

⑧ $1\dfrac{1}{8} \div 2\dfrac{4}{7} =$

⑨ $1\dfrac{3}{8} \div 1\dfrac{1}{9} =$

⑩ $1\dfrac{7}{8} \div 2\dfrac{1}{4} =$

⑪ $1\dfrac{7}{9} \div 1\dfrac{1}{6} =$

⑫ $1\dfrac{8}{9} \div 2\dfrac{3}{7} =$

⑬ $2\dfrac{1}{2} \div 1\dfrac{7}{8} =$

⑭ $2\dfrac{1}{3} \div 1\dfrac{2}{5} =$

⑮ $2\dfrac{3}{4} \div 3\dfrac{1}{3} =$

⑯ $2\dfrac{1}{5} \div 1\dfrac{5}{9} =$

⑰ $2\dfrac{4}{5} \div 1\dfrac{3}{4} =$

⑱ $2\dfrac{1}{6} \div 2\dfrac{2}{5} =$

⑲ $2\dfrac{4}{7} \div 1\dfrac{1}{8} =$

⑳ $3\dfrac{2}{3} \div 2\dfrac{1}{6} =$

㉑ $3\dfrac{1}{4} \div 1\dfrac{3}{8} =$

㉒ $3\dfrac{3}{5} \div 1\dfrac{5}{7} =$

㉓ $3\dfrac{3}{7} \div 2\dfrac{4}{5} =$

㉔ $3\dfrac{4}{7} \div 3\dfrac{3}{4} =$

㉕ $3\dfrac{3}{8} \div 4\dfrac{1}{2} =$

㉖ $3\dfrac{7}{9} \div 3\dfrac{1}{5} =$

㉗ $4\dfrac{1}{2} \div 1\dfrac{1}{4} =$

㉘ $4\dfrac{2}{3} \div 3\dfrac{1}{2} =$

㉙ $4\dfrac{1}{6} \div 1\dfrac{2}{3} =$

㉚ $4\dfrac{2}{7} \div 1\dfrac{7}{8} =$

㉛ $5\dfrac{1}{2} \div 1\dfrac{3}{4} =$

㉜ $5\dfrac{5}{6} \div 2\dfrac{6}{7} =$

㉝ $5\dfrac{3}{7} \div 2\dfrac{1}{9} =$

화살표 **방향**에 따라 **나눗셈식**을 세워!

● 빈칸에 알맞은 수 구하기

÷

| $\frac{3}{8}$ | $\frac{1}{8}$ | 3 |
| $\frac{8}{9}$ | $\frac{7}{9}$ | $1\frac{1}{7}$ |

$\begin{cases}\frac{3}{8} \div \frac{1}{8} = 3\end{cases}$

$\begin{cases}\frac{8}{9} \div \frac{7}{9} = 1\frac{1}{7}\end{cases}$

○ 빈칸에 알맞은 수를 써넣으시오.

1 ÷

| $\frac{10}{11}$ | $\frac{5}{11}$ | |
| $\frac{2}{3}$ | $\frac{1}{6}$ | |

4 ÷

| $\frac{3}{14}$ | $\frac{9}{14}$ | |
| $\frac{10}{7}$ | $\frac{5}{8}$ | |

2 ÷

| 5 | $\frac{1}{2}$ | |
| $\frac{9}{4}$ | $\frac{2}{3}$ | |

5 ÷

| $\frac{7}{16}$ | $\frac{3}{10}$ | |
| $2\frac{2}{5}$ | $1\frac{3}{7}$ | |

3 ÷

| $1\frac{1}{8}$ | $\frac{3}{5}$ | |
| $3\frac{3}{4}$ | $1\frac{5}{6}$ | |

6 ÷

| 8 | $\frac{4}{9}$ | |
| $5\frac{5}{8}$ | $\frac{9}{10}$ | |

9 앞의 수를 뒤의 수로 나눈 몫 구하기

몫

→ 나눗셈식을 이용해!

● 앞의 수를 뒤의 수로 나눈 몫 구하기

$\dfrac{4}{5}$	$\dfrac{5}{6}$
$\dfrac{24}{25}$	

$$\dfrac{4}{5} \div \dfrac{5}{6} = \dfrac{24}{25}$$

○ 앞의 수를 뒤의 수로 나눈 몫을 빈칸에 써넣으시오.

7

$\dfrac{9}{16}$	$\dfrac{3}{16}$

11

$\dfrac{6}{13}$	$\dfrac{12}{13}$

8

6	$\dfrac{3}{4}$

12

$\dfrac{12}{11}$	$\dfrac{2}{5}$

9

$\dfrac{14}{17}$	$\dfrac{7}{34}$

13

$3\dfrac{3}{7}$	$\dfrac{6}{13}$

10

$2\dfrac{1}{4}$	$\dfrac{5}{12}$

14

$4\dfrac{1}{6}$	$2\dfrac{3}{4}$

곱셈과 나눗셈의 관계를 이용해!

$$■ × ▲ = ● \rightarrow \begin{cases} ● ÷ ▲ = ■ \\ ● ÷ ■ = ▲ \end{cases}$$

- '$\Box × \dfrac{3}{5} = \dfrac{1}{3}$' 에서 $\Box$의 값 구하기

$\Box × \dfrac{3}{5} = \dfrac{1}{3}$ ⇨ 곱셈과 나눗셈의 관계를 이용하면

$$\dfrac{1}{3} ÷ \dfrac{3}{5} = \Box, \ \Box = \dfrac{5}{9}$$

- '$\dfrac{5}{9} × \Box = \dfrac{1}{3}$' 에서 $\Box$의 값 구하기

$\dfrac{5}{9} × \Box = \dfrac{1}{3}$ ⇨ 곱셈과 나눗셈의 관계를 이용하면

$$\dfrac{1}{3} ÷ \dfrac{5}{9} = \Box, \ \Box = \dfrac{3}{5}$$

○ 어떤 수($\Box$)를 구해 보시오.

① $\boxed{} × \dfrac{1}{5} = \dfrac{4}{5}$

⑤ $\dfrac{4}{7} × \boxed{} = \dfrac{5}{7}$

② $\boxed{} × \dfrac{3}{10} = \dfrac{3}{5}$

⑥ $\dfrac{2}{7} × \boxed{} = \dfrac{4}{5}$

③ $\boxed{} × \dfrac{2}{3} = 8$

⑦ $\dfrac{9}{10} × \boxed{} = 10$

④ $\boxed{} × \dfrac{3}{4} = \dfrac{9}{5}$

⑧ $\dfrac{7}{8} × \boxed{} = 1\dfrac{1}{6}$

11 **나눗셈식에서 어떤 수 구하기**

● '$\dfrac{2}{3} \div \square = \dfrac{2}{9}$' 에서 $\square$의 값 구하기

$\dfrac{2}{3} \div \square = \dfrac{2}{9}$

$\Rightarrow \dfrac{2}{3} \div \dfrac{2}{9} = \square$, $\square = 3$

나눗셈식을

다른 나눗셈식으로 만들어!

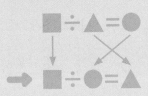

○ 어떤 수($\square$)를 구해 보시오.

9 $\dfrac{10}{13} \div \boxed{} = \dfrac{5}{13}$

13 $\dfrac{19}{10} \div \boxed{} = \dfrac{4}{15}$

10 $\dfrac{7}{11} \div \boxed{} = \dfrac{2}{11}$

14 $1\dfrac{2}{5} \div \boxed{} = \dfrac{2}{3}$

11 $\dfrac{5}{12} \div \boxed{} = \dfrac{3}{10}$

15 $2\dfrac{5}{6} \div \boxed{} = \dfrac{3}{4}$

12 $18 \div \boxed{} = \dfrac{4}{5}$

16 $3\dfrac{3}{5} \div \boxed{} = 2\dfrac{1}{7}$

12 몫이 가장 큰 분수의 나눗셈식 만들기

(몫이 가장 큰 나눗셈식)
=(가장 큰 수)
÷(가장 작은 수)

● 수 카드 중에서 2장을 골라 한 번씩만 사용하여 몫이 가장 큰 분수의 나눗셈식 완성하고 계산하기

$\boxed{2}$ $\boxed{3}$ $\boxed{5}$ $\dfrac{\square}{7} \div \dfrac{\square}{7}$

• 나누어지는 수가 가장 큰 경우: $\dfrac{5}{7}$ → 가장 큰 수

• 나누는 수가 가장 작은 경우: $\dfrac{2}{7}$ → 가장 작은 수

⇒ $\dfrac{5}{7} \div \dfrac{2}{7} = 2\dfrac{1}{2}$

○ 수 카드 중에서 2장을 골라 한 번씩만 사용하여 몫이 가장 큰 분수의 나눗셈식을 완성하고 계산해 보시오.

❶ $\boxed{3}$ $\boxed{1}$ $\boxed{5}$

$\dfrac{\square}{10} \div \dfrac{\square}{10}$ ⇨ ( )

❹ $\boxed{3}$ $\boxed{9}$ $\boxed{5}$

$\dfrac{7}{\square} \div \dfrac{2}{\square}$ ⇨ ( )

❷ $\boxed{1}$ $\boxed{5}$ $\boxed{7}$

$\dfrac{\square}{12} \div \dfrac{\square}{8}$ ⇨ ( )

❺ $\boxed{4}$ $\boxed{2}$ $\boxed{8}$

$\square\dfrac{6}{7} \div \dfrac{\square}{3}$ ⇨ ( )

❸ $\boxed{4}$ $\boxed{6}$ $\boxed{2}$

$\square \div \dfrac{\square}{5}$ ⇨ ( )

❻ $\boxed{3}$ $\boxed{5}$ $\boxed{2}$

$9\dfrac{\square}{8} \div 1\dfrac{\square}{5}$ ⇨ ( )

13 몫이 가장 작은 분수의 나눗셈식 만들기

(몫이 가장 작은 나눗셈식)
=(가장 작은 수)
÷(가장 큰 수)

● 수 카드 중에서 2장을 골라 한 번씩만 사용하여 몫이 가장 작은 분수의 나눗셈식 완성하고 계산하기

| 1 | 3 | 4 |

$\dfrac{\square}{5} \div \dfrac{\square}{5}$

• 나누어지는 수가 가장 작은 경우: $\dfrac{1}{5}$ → 가장 작은 수

• 나누는 수가 가장 큰 경우: $\dfrac{4}{5}$ → 가장 큰 수

⇨ $\dfrac{1}{5} \div \dfrac{4}{5} = \dfrac{1}{4}$

○ 수 카드 중에서 2장을 골라 한 번씩만 사용하여 몫이 가장 작은 분수의 나눗셈식을 완성하고 계산해 보시오.

❼ | 5 | 4 | 2 |

$\dfrac{\square}{13} \div \dfrac{\square}{13}$ ⇨ ( )

❿ | 9 | 8 | 4 |

$\dfrac{10}{\square} \div \dfrac{3}{\square}$ ⇨ ( )

❽ | 6 | 3 | 4 |

$\dfrac{\square}{5} \div \dfrac{\square}{7}$ ⇨ ( )

⓫ | 2 | 1 | 8 |

$\dfrac{\square}{9} \div \dfrac{\square}{15}$ ⇨ ( )

❾ | 4 | 6 | 7 |

$\square \div \dfrac{\square}{8}$ ⇨ ( )

⓬ | 4 | 7 | 5 |

$2\dfrac{\square}{7} \div 2\dfrac{\square}{10}$ ⇨ ( )

14 분수의 나눗셈 문장제

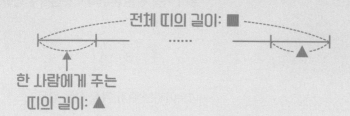

● 문제를 읽고 식을 세워 답 구하기

띠 $\frac{5}{9}$ m를 한 사람에게 $\frac{1}{9}$ m씩

나누어 주려고 합니다.
몇 명에게 나누어 줄 수 있습니까?

식 $\frac{5}{9} \div \frac{1}{9} = 5$

답 5명

1 길이가 $\frac{6}{7}$ m인 천을 $\frac{3}{14}$ m씩 잘라 리본을 만들려고 합니다.

리본은 몇 개 만들 수 있습니까?

✎ 계산 공간

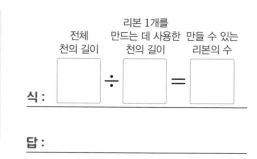

전체 천의 길이		리본 1개를 만드는 데 사용한 천의 길이		만들 수 있는 리본의 수
	÷		=	

식 :

답 :

2 지수는 우유를 $\frac{7}{8}$ L, 해민이는 $\frac{3}{8}$ L 마셨습니다.

지수가 마신 우유량은 해민이가 마신 우유량의 몇 배입니까?

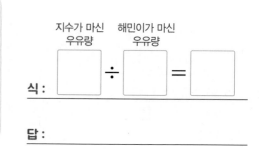

지수가 마신 우유량		해민이가 마신 우유량		
	÷		=	

식 :

답 :

③ 주스 12 L를 한 컵에 $\dfrac{3}{5}$ L씩 똑같이 나누어 담으려고 합니다.

몇 개의 컵에 나누어 담을 수 있습니까?

식 : _____

답 : _____

④ 위인전의 무게는 $\dfrac{13}{12}$ kg, 동화책의 무게는 $\dfrac{3}{4}$ kg입니다.

위인전 무게는 동화책 무게의 몇 배입니까?

식 : _____

답 : _____

⑤ 피자 한 판을 만드는 데 밀가루 $1\dfrac{3}{4}$ 컵이 필요합니다.

밀가루 $10\dfrac{1}{2}$ 컵으로 만들 수 있는 피자는 몇 판입니까?

식 : _____

답 : _____

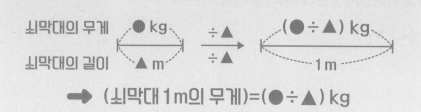

● 문제를 읽고 식을 세워 답 구하기

무게가 $\frac{6}{7}$ kg인 쇠막대 $\frac{3}{7}$ m가 있습니다.

이 쇠막대 1 m의 무게는 몇 kg입니까?

식 $\frac{6}{7} \div \frac{3}{7} = 2$

답 2 kg

① 무게가 $\frac{14}{15}$ g인 털실 $\frac{2}{15}$ m가 있습니다.

이 털실 1 m의 무게는 몇 g입니까?

✎ 계산 공간

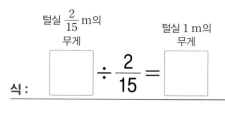

식 :

답 :

② 어느 달팽이는 $\frac{23}{25}$ cm를 기어가는 데 $\frac{2}{25}$ 분이 걸립니다.

이 달팽이가 같은 빠르기로 기어간다면
1분 동안 갈 수 있는 거리는 몇 cm입니까?

✎

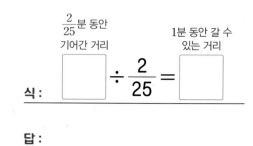

식 :

답 :

❸ 수박 $\dfrac{4}{5}$통의 무게가 10 kg입니다. 수박 1통의 무게는 몇 kg입니까?

식 : _____

답 : _____

❹ 선우가 감자 $4\dfrac{2}{5}$ kg을 캐는 데 $\dfrac{4}{9}$시간이 걸렸습니다.
선우가 감자를 같은 빠르기로 캔다면
1시간 동안 캘 수 있는 감자의 무게는 몇 kg입니까?

식 : _____

답 : _____

❺ 윤아가 $\dfrac{7}{8}$ km를 걷는 데 $17\dfrac{1}{2}$분이 걸렸습니다.
윤아가 같은 빠르기로 걷는다면
1 km를 걷는 데 걸리는 시간은 몇 분입니까?

식 : _____

답 : _____

문제 파헤치기

어떤 수를 ▲로 나누어야 할 것을 잘못하여 곱했더니 ●가 되었습니다. ⇨

바르게 계산한 값은 얼마입니까? ⇨

풀이

잘못 계산한 식: (어떤 수) × ▲ = ●

바르게 계산한 식: (어떤 수) ÷ ▲

● 문제를 읽고 해결하기

어떤 수를 $\frac{5}{9}$로 나누어야 할 것을 잘못하여 곱했더니 $\frac{2}{9}$가 되었습니다.

바르게 계산한 값은 얼마입니까?

풀이 어떤 수 $\Box \times \frac{5}{9} = \frac{2}{9} \Rightarrow \frac{2}{9} \div \frac{5}{9} = \Box, \Box = \frac{2}{5}$

따라서 바르게 계산한 값은

$\frac{2}{5} \div \frac{5}{9} = \frac{18}{25}$ 입니다.

답 $\frac{18}{25}$

① 어떤 수를 $\frac{4}{5}$로 나누어야 할 것을 잘못하여 곱했더니 $\frac{8}{11}$이 되었습니다.

바르게 계산한 값은 얼마입니까?

✎ 풀이 공간

어떤 수
$\blacksquare \times \frac{4}{5} = \boxed{} \Rightarrow \boxed{} \div \frac{4}{5} = \blacksquare, \blacksquare = \boxed{}$

따라서 바르게 계산한 값은 $\boxed{} \div \frac{4}{5} = \boxed{}$ 입니다.

답 : _____

② $\frac{6}{7}$을 어떤 수로 나누어야 할 것을 잘못하여 곱했더니 $\frac{3}{14}$이 되었습니다.

바르게 계산한 값은 얼마입니까?

$\frac{6}{7} \times \overset{\text{어떤 수}}{\blacksquare} = \boxed{} \Rightarrow \boxed{} \div \frac{6}{7} = \blacksquare, \blacksquare = \boxed{}$

따라서 바르게 계산한 값은 $\frac{6}{7} \div \boxed{} = \boxed{}$ 입니다.

답 : _____

❸ 어떤 수를 $\frac{2}{7}$ 로 나누어야 할 것을 잘못하여 곱했더니 12가 되었습니다.

바르게 계산한 값은 얼마입니까?

답 : _____

❹ 어떤 수를 $\frac{2}{3}$ 로 나누어야 할 것을 잘못하여 곱했더니 $2\frac{4}{5}$ 가 되었습니다.

바르게 계산한 값은 얼마입니까?

답 : _____

❺ $1\frac{2}{3}$ 를 어떤 수로 나누어야 할 것을 잘못하여 곱했더니 $3\frac{1}{8}$ 이 되었습니다.

바르게 계산한 값은 얼마입니까?

답 : _____

○ 계산해 보시오.

1 $\dfrac{8}{9} \div \dfrac{4}{9} =$

2 $\dfrac{12}{13} \div \dfrac{3}{13} =$

3 $\dfrac{3}{7} \div \dfrac{6}{7} =$

4 $\dfrac{8}{14} \div \dfrac{5}{14} =$

5 $\dfrac{5}{6} \div \dfrac{5}{12} =$

6 $\dfrac{5}{9} \div \dfrac{3}{10} =$

7 $9 \div \dfrac{3}{5} =$

8 $15 \div \dfrac{10}{11} =$

9 $\dfrac{6}{5} \div \dfrac{4}{7} =$

10 $\dfrac{35}{12} \div \dfrac{7}{8} =$

11 $1\dfrac{5}{6} \div \dfrac{7}{10} =$

12 $3\dfrac{3}{8} \div \dfrac{9}{16} =$

13 $2\dfrac{1}{4} \div 3\dfrac{1}{3} =$

14 $4\dfrac{5}{7} \div 1\dfrac{7}{8} =$

15 냉장고에 식혜 $\frac{8}{15}$ L가 있습니다. 식혜를 하루에 $\frac{2}{15}$ L씩 마신다면 며칠 동안 마실 수 있습니까?

식 _____

답 _____

16 멜론의 무게는 $\frac{14}{15}$ kg, 사과의 무게는 $\frac{3}{10}$ kg입니다. 멜론 무게는 사과 무게의 몇 배입니까?

식 _____

답 _____

17 아이스크림 $\frac{2}{5}$ kg의 가격이 2000원입니다. 아이스크림 1 kg의 가격은 얼마입니까?

식 _____

답 _____

18 휘발유 $\frac{3}{8}$ L로 $3\frac{6}{7}$ km를 가는 자동차가 있습니다. 이 자동차가 휘발유 1 L로 갈 수 있는 거리는 몇 km입니까?

식 _____

답 _____

19 수 카드 중에서 2장을 골라 한 번씩만 사용하여 몫이 가장 큰 분수의 나눗셈식을 완성하고 계산해 보시오.

2 6 8

$\frac{9}{\boxed{}} \div \frac{5}{\boxed{}} \Rightarrow ($ $)$

20 어떤 수를 $\frac{5}{7}$ 로 나누어야 할 것을 잘못하여 곱했더니 $\frac{10}{3}$ 이 되었습니다. 바르게 계산한 값은 얼마입니까?

(   )

소수의 나눗셈

◆ 맞힌 개수와 걸린 시간을 작성해 보세요.

학습 내용	일 차	맞힌 개수	걸린 시간
⑪ 나누어지는 수가 같을 때 나누는 수와 몫의 관계	10일 차	/18개	/18분
⑫ 나누는 수가 같을 때 나누어지는 수와 몫의 관계			
⑬ 곱셈식에서 어떤 수 구하기	11일 차	/20개	/20분
⑭ 나눗셈식에서 어떤 수 구하기			
⑮ 몫이 가장 큰 소수의 나눗셈식 만들기	12일 차	/12개	/15분
⑯ 몫이 가장 작은 소수의 나눗셈식 만들기			
⑰ 소수의 나눗셈식 완성하기	13일 차	/10개	/15분
⑱ 소수의 나눗셈 문장제	14일 차	/5개	/5분
⑲ 서로 다른 단위가 섞여 있는 소수의 나눗셈 문장제	15일 차	/5개	/5분
⑳ 나누어 주고 남는 양 구하기	16일 차	/5개	/5분
㉑ 바르게 계산한 값 구하기	17일 차	/5개	/12분
평가 2. 소수의 나눗셈	18일 차	/20개	/22분

나누어지는 수와 나누는 수에
똑같이 **10** 또는 **100**을 곱하여
(자연수)÷(자연수)로
바꾸어 계산해!

● 16.8÷0.6과 1.68÷0.06의 계산

16.8÷0.6	1.68÷0.06
10배 10배	100배 100배
168÷6 =28	168÷6 =28
⇨ 16.8÷0.6=28	⇨ 1.68÷0.06=28

참고 나눗셈에서 나누는 수와 나누어지는 수에 같은
수를 곱하여도 몫은 변하지 않습니다.

○ 자연수의 나눗셈을 이용하여 소수의 나눗셈을 계산해 보시오.

❶
1.4 ÷ 0.2
10배   10배

☐ ÷ ☐ = ☐

⇨ 1.4÷0.2= ☐

❷
6.3 ÷ 0.3
10배   10배

☐ ÷ ☐ = ☐

⇨ 6.3÷0.3= ☐

❸
0.86 ÷ 0.43
100배   100배

☐ ÷ ☐ = ☐

⇨ 0.86÷0.43= ☐

❹
0.96 ÷ 0.12
100배   100배

☐ ÷ ☐ = ☐

⇨ 0.96÷0.12= ☐

⑤
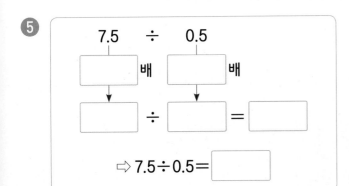

7.5 ÷ 0.5

⬜ 배   ⬜ 배

⬜ ÷ ⬜ = ⬜

➡ 7.5÷0.5= ⬜

⑨
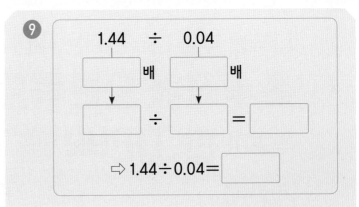

1.44 ÷ 0.04

⬜ 배   ⬜ 배

⬜ ÷ ⬜ = ⬜

➡ 1.44÷0.04= ⬜

⑥
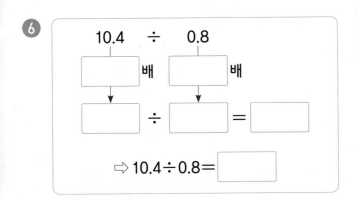

10.4 ÷ 0.8

⬜ 배   ⬜ 배

⬜ ÷ ⬜ = ⬜

➡ 10.4÷0.8= ⬜

⑩
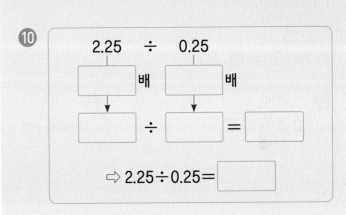

2.25 ÷ 0.25

⬜ 배   ⬜ 배

⬜ ÷ ⬜ = ⬜

➡ 2.25÷0.25= ⬜

⑦
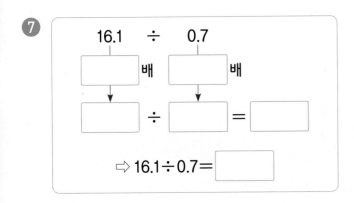

16.1 ÷ 0.7

⬜ 배   ⬜ 배

⬜ ÷ ⬜ = ⬜

➡ 16.1÷0.7= ⬜

⑪
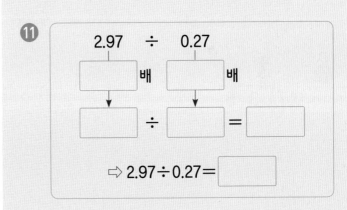

2.97 ÷ 0.27

⬜ 배   ⬜ 배

⬜ ÷ ⬜ = ⬜

➡ 2.97÷0.27= ⬜

⑧
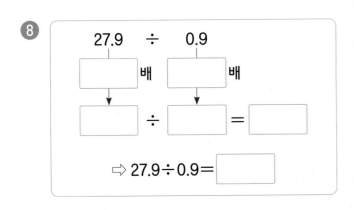

27.9 ÷ 0.9

⬜ 배   ⬜ 배

⬜ ÷ ⬜ = ⬜

➡ 27.9÷0.9= ⬜

⑫
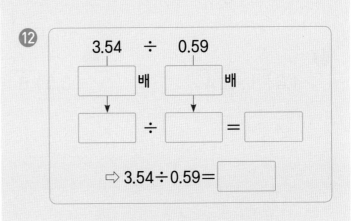

3.54 ÷ 0.59

⬜ 배   ⬜ 배

⬜ ÷ ⬜ = ⬜

➡ 3.54÷0.59= ⬜

나누는 수와 나누어지는 수의
소수점을 오른쪽으로
똑같이 **한 자리씩 옮겨서**
계산해!

● 3.5÷0.5의 계산

$$0.5 \overline{)3.5} \Rightarrow 5\overline{)35}$$

소수점을 오른쪽으로
똑같이 한 자리씩 옮기기

○ 계산해 보시오.

1
$$0.4\overline{)1.2}$$

2
$$0.7\overline{)3.5}$$

3
$$1.3\overline{)10.4}$$

4
$$1.6\overline{)17.6}$$

5
$$2.1\overline{)29.4}$$

6
$$3.5\overline{)66.5}$$

7
$$4.7\overline{)98.7}$$

8
$$6.8\overline{)115.6}$$

9
$$8.3\overline{)182.6}$$

⑩ $0.6 \div 0.3 =$

⑪ $3.2 \div 0.8 =$

⑫ $4.5 \div 0.9 =$

⑬ $5.4 \div 1.8 =$

⑭ $9.8 \div 1.4 =$

⑮ $9.9 \div 1.1 =$

⑯ $12.5 \div 2.5 =$

⑰ $13.6 \div 1.7 =$

⑱ $20.7 \div 2.3 =$

⑲ $31.9 \div 2.9 =$

⑳ $33.8 \div 2.6 =$

㉑ $37.2 \div 3.1 =$

㉒ $46.2 \div 4.2 =$

㉓ $51.8 \div 3.7 =$

㉔ $57.6 \div 4.8 =$

㉕ $70.2 \div 5.4 =$

㉖ $88.5 \div 5.9 =$

㉗ $113.4 \div 6.3 =$

㉘ $142.5 \div 7.5 =$

㉙ $193.2 \div 9.2 =$

㉚ $240.8 \div 8.6 =$

나누는 수와 나누어지는 수의

소수점을 오른쪽으로
똑같이 **두 자리씩 옮겨서**
계산해!

●5.04÷1.26의 계산

$$1.26 \overline{)5.0\,4} \Rightarrow 126 \overline{)504}$$

소수점을 오른쪽으로
똑같이 두 자리씩 옮기기

$$\begin{array}{r} 4 \\ 126\overline{)504} \\ 504 \\ \hline 0 \end{array}$$

○ 계산해 보시오.

1

$$0.02 \overline{)0.0\,6}$$

2

$$0.14 \overline{)0.5\,6}$$

3

$$0.51 \overline{)4.5\,9}$$

4

$$0.93 \overline{)1\,1.1\,6}$$

5

$$1.03 \overline{)1\,3.3\,9}$$

6

$$1.47 \overline{)1\,6.1\,7}$$

7

$$2.68 \overline{)4\,5.5\,6}$$

8

$$3.29 \overline{)5\,9.2\,2}$$

9

$$5.32 \overline{)1\,5\,4.2\,8}$$

⑩ 0.09÷0.03=

⑪ 0.35÷0.07=

⑫ 0.72÷0.12=

⑬ 1.92÷0.48=

⑭ 4.48÷0.56=

⑮ 5.04÷0.72=

⑯ 8.46÷0.94=

⑰ 10.56÷1.32=

⑱ 12.54÷1.14=

⑲ 13.08÷1.09=

⑳ 20.88÷1.74=

㉑ 23.24÷1.66=

㉒ 26.13÷2.01=

㉓ 30.24÷1.89=

㉔ 37.95÷2.53=

㉕ 42.12÷3.24=

㉖ 50.49÷2.97=

㉗ 68.94÷3.83=

㉘ 135.28÷7.12=

㉙ 158.16÷6.59=

㉚ 220.32÷8.16=

나누는 수가 자연수가 되도록

나누는 수와 나누어지는 수의 소수점을
오른쪽으로 똑같이 한 자리씩 옮겨서 계산해!

몫을 쓸 때, **옮긴 소수점의 위치**에서
소수점을 찍어!

● 3.57÷1.7의 계산

$$1.7 \overline{)3.5\,7} \quad \Rightarrow \quad 17 \overline{)3\,5.7}$$

소수점을 오른쪽으로
똑같이 한 자리씩 옮기기

$$\begin{array}{r} 2.1 \\ 17\overline{)357} \\ 34 \\ \hline 17 \\ 17 \\ \hline 0 \end{array}$$

옮긴 소수점의
위치에 맞추어
몫의 소수점 찍기

○ 계산해 보시오.

1
$$0.4 \overline{)0.6\,8}$$

2
$$0.7 \overline{)1.6\,1}$$

3
$$0.8 \overline{)2.2\,4}$$

4
$$1.6 \overline{)5.7\,6}$$

5
$$3.2 \overline{)6.0\,8}$$

6
$$9.7 \overline{)2\,0.3\,7}$$

7
$$16.9 \overline{)5\,4.0\,8}$$

8
$$25.4 \overline{)9\,3.9\,8}$$

9
$$37.1 \overline{)1\,5\,9.5\,3}$$

⑩ $0.24 \div 0.2 =$

⑰ $7.65 \div 5.1 =$

㉔ $32.24 \div 12.4 =$

⑪ $0.77 \div 1.1 =$

⑱ $9.66 \div 2.3 =$

㉕ $36.26 \div 7.4 =$

⑫ $1.75 \div 0.5 =$

⑲ $10.64 \div 2.8 =$

㉖ $68.64 \div 17.6 =$

⑬ $2.34 \div 0.9 =$

⑳ $11.96 \div 2.6 =$

㉗ $71.41 \div 19.3 =$

⑭ $2.66 \div 1.4 =$

㉑ $12.74 \div 4.9 =$

㉘ $93.89 \div 22.9 =$

⑮ $3.33 \div 3.7 =$

㉒ $19.26 \div 10.7 =$

㉙ $106.78 \div 28.1 =$

⑯ $5.58 \div 1.8 =$

㉓ $30.69 \div 9.3 =$

㉚ $168.56 \div 39.2 =$

(자연수)÷(소수 한 자리 수)

나누는 수가 자연수가 되도록
나누는 수와 나누어지는 수의 소수점을
오른쪽으로 똑같이 한 자리씩 옮겨!

이때 **자연수 뒤에**
0이 한 개 있다고 생각해!

• 12÷2.4의 계산

0을 쓰고 소수점을 옮깁니다.

$$2.4\overline{)12.0} \Rightarrow 24\overline{)120}$$

소수점을 오른쪽으로
똑같이 한 자리씩 옮기기

$$24\overline{)120} \\ \underline{120} \\ 0$$

몫 5

○ 계산해 보시오.

① $0.5\overline{)1}$

② $0.5\overline{)3}$

③ $1.4\overline{)7}$

④ $2.2\overline{)11}$

⑤ $2.5\overline{)40}$

⑥ $3.6\overline{)54}$

⑦ $4.5\overline{)63}$

⑧ $5.6\overline{)140}$

⑨ $7.5\overline{)210}$

⑩ $1 \div 0.2 =$

⑪ $2 \div 0.5 =$

⑫ $3 \div 1.5 =$

⑬ $9 \div 1.8 =$

⑭ $30 \div 2.5 =$

⑮ $36 \div 2.4 =$

⑯ $38 \div 1.9 =$

⑰ $39 \div 2.6 =$

⑱ $56 \div 3.5 =$

⑲ $66 \div 4.4 =$

⑳ $68 \div 3.4 =$

㉑ $84 \div 3.5 =$

㉒ $99 \div 5.5 =$

㉓ $105 \div 4.2 =$

㉔ $115 \div 4.6 =$

㉕ $135 \div 5.4 =$

㉖ $143 \div 5.5 =$

㉗ $182 \div 6.5 =$

㉘ $255 \div 7.5 =$

㉙ $266 \div 7.6 =$

㉚ $357 \div 8.5 =$

나누는 수가 자연수가 되도록
나누는 수와 나누어지는 수의 소수점을
오른쪽으로 똑같이 두 자리씩 옮겨!
이때 **자연수 뒤에**
00이 두 개 있다고 생각해!

• $1 \div 0.25$의 계산

00을 쓰고
소수점을 옮깁니다.

$$0.25 \overline{)1.00} \quad \Rightarrow \quad 25 \overline{)100}$$

소수점을 오른쪽으로
똑같이 두 자리씩 옮기기

$$\begin{array}{r} 4 \\ 25 \overline{)100} \\ 100 \\ \hline 0 \end{array}$$

○ 계산해 보시오.

1 $0.04 \overline{)1}$

2 $0.32 \overline{)8}$

3 $0.75 \overline{)1\ 2}$

4 $1.32 \overline{)3\ 3}$

5 $2.25 \overline{)3\ 6}$

6 $1.75 \overline{)5\ 6}$

7 $2.75 \overline{)9\ 9}$

8 $3.15 \overline{)1\ 2\ 6}$

9 $4.32 \overline{)3\ 2\ 4}$

⑩ $1 \div 0.05 =$

⑪ $6 \div 0.12 =$

⑫ $11 \div 0.25 =$

⑬ $17 \div 0.68 =$

⑭ $20 \div 1.25 =$

⑮ $42 \div 1.75 =$

⑯ $52 \div 1.04 =$

⑰ $63 \div 2.25 =$

⑱ $72 \div 1.44 =$

⑲ $83 \div 4.15 =$

⑳ $86 \div 2.15 =$

㉑ $96 \div 3.84 =$

㉒ $114 \div 1.52 =$

㉓ $126 \div 2.25 =$

㉔ $135 \div 3.75 =$

㉕ $142 \div 5.68 =$

㉖ $143 \div 3.25 =$

㉗ $156 \div 3.25 =$

㉘ $176 \div 3.52 =$

㉙ $198 \div 2.75 =$

㉚ $204 \div 2.72 =$

몫이 간단한 소수로
구해지지 않을 경우,
몫을 반올림하여
나타낼 수 있어!

- **9÷7의 몫을 반올림하여 주어진 자리까지 나타내기**
- 일의 자리까지 나타내기

  $9 ÷ 7 = 1.2\cdots\cdots ⇨ 1$
    └ 소수 첫째 자리 숫자가 2이므로 버립니다.
- 소수 첫째 자리까지 나타내기

  $9 ÷ 7 = 1.28\cdots\cdots ⇨ 1.3$
    └ 소수 둘째 자리 숫자가 8이므로 올립니다.
- 소수 둘째 자리까지 나타내기

  $9 ÷ 7 = 1.285\cdots\cdots ⇨ 1.29$
    └ 소수 셋째 자리 숫자가 5이므로 올립니다.

○ 몫을 반올림하여 주어진 자리까지 나타내어 보시오.

1 일의 자리까지

$3 \overline{)5}$

(   )

3 소수 첫째 자리까지

$9 \overline{)2\ 2}$

(   )

5 소수 둘째 자리까지

$13 \overline{)7}$

(   )

2 일의 자리까지

$7 \overline{)9.2}$

(   )

4 소수 첫째 자리까지

$11 \overline{)3\ 4.3}$

(   )

6 소수 둘째 자리까지

$19 \overline{)2\ 1.7}$

(   )

7 일의 자리까지

$10 \div 7$

(   )

8 일의 자리까지

$11.5 \div 12$

(   )

9 소수 첫째 자리까지

$15 \div 9$

(   )

10 소수 첫째 자리까지

$17.6 \div 15$

(   )

11 소수 둘째 자리까지

$22 \div 7$

(   )

12 소수 둘째 자리까지

$35 \div 6$

(   )

13 소수 둘째 자리까지

$46.1 \div 14$

(   )

14 소수 둘째 자리까지

$5.2 \div 1.8$

(   )

나눗셈의 몫을 자연수까지만 구할 때

남는 수의 소수점은
나누어지는 수의
소수점의 위치에서 찍어!

- $8.1 \div 3$의 몫을 자연수까지만 구하고,
  남는 수 구하기

$$
\begin{array}{r}
2 \quad\longrightarrow\ \text{자연수까지만 구한 몫} \\
3\overline{)8.1} \\
\underline{6} \\
2\,1 \longrightarrow\ \text{남는 수}
\end{array}
$$

몫: 2
남는 수: 2.1

○ 나눗셈의 몫을 자연수까지만 구하고 남는 수를 구해 보시오.

① $2\overline{)7.2}$

몫 (　　　　　)
남는 수 (　　　　　)

② $3\overline{)10.8}$

몫 (　　　　　)
남는 수 (　　　　　)

③ $4\overline{)35.6}$

몫 (　　　　　)
남는 수 (　　　　　)

④ $5\overline{)47.5}$

몫 (　　　　　)
남는 수 (　　　　　)

⑤ $6\overline{)89.4}$

몫 (　　　　　)
남는 수 (　　　　　)

⑥ $7\overline{)123.2}$

몫 (　　　　　)
남는 수 (　　　　　)

⑦　5.4÷3

몫 (　　　　)
남는 수 (　　　　)

⑧　12.8÷5

몫 (　　　　)
남는 수 (　　　　)

⑨　16.9÷4

몫 (　　　　)
남는 수 (　　　　)

⑩　23.7÷2

몫 (　　　　)
남는 수 (　　　　)

⑪　35.1÷6

몫 (　　　　)
남는 수 (　　　　)

⑫　48.2÷8

몫 (　　　　)
남는 수 (　　　　)

⑬　59.5÷7

몫 (　　　　)
남는 수 (　　　　)

⑭　60.3÷9

몫 (　　　　)
남는 수 (　　　　)

⑮　71.7÷3

몫 (　　　　)
남는 수 (　　　　)

⑯　88.4÷5

몫 (　　　　)
남는 수 (　　　　)

⑰　95.2÷7

몫 (　　　　)
남는 수 (　　　　)

⑱　113.6÷8

몫 (　　　　)
남는 수 (　　　　)

화살표 방향에 따라 나눗셈식을 세워!

● 빈칸에 알맞은 수 구하기

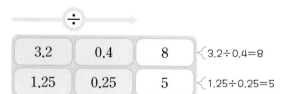

÷		
3.2	0.4	8
1.25	0.25	5

3.2÷0.4=8
1.25÷0.25=5

○ 빈칸에 알맞은 수를 써넣으시오.

1

÷		
3.9	1.3	
9.12	2.28	

4

÷		
32.4	2.7	
22.57	6.1	

2

÷		
7.56	3.6	
22.88	4.4	

5

÷		
36.81	4.09	
45	1.8	

3

÷		
29	5.8	
21	1.75	

6

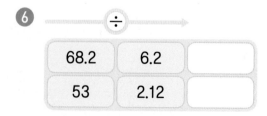

÷		
68.2	6.2	
53	2.12	

10 큰 수를 작은 수로 나눈 몫 구하기

몫

→ 나눗셈식을 이용해!

● 큰 수를 작은 수로 나눈 몫 구하기

2.1	0.7
3	

2.1>0.7이므로 2.1÷0.7=3

○ 큰 수를 작은 수로 나눈 몫을 빈칸에 써넣으시오.

⑦
2.48	44.64

⑪
20.1	60.3

⑧
12.42	5.4

⑫
22.4	2.8

⑨
6.2	155

⑬
28	1.12

⑩
8.58	2.2

⑭
3.6	54

나누어지는 수가 같을 때
나누는 수가
$$\frac{1}{10}$$배, $$\frac{1}{100}$$배가 되면
몫은 **10배, 100배**가 돼!

● 12÷4를 이용하여
12÷0.4와 12÷0.04 계산하기

$$12 \div 4 = 3$$
$$12 \div 0.4 = 30 \quad \text{10배}$$
$$12 \div 0.04 = 300 \quad \text{100배}$$

○ 계산해 보시오.

① $8 \div 2 =$
⇩
$8 \div 0.2 =$
$8 \div 0.02 =$

④ $21 \div 7 =$
⇩
$21 \div 0.7 =$
$21 \div 0.07 =$

⑦ $30 \div 2 =$
⇩
$30 \div 0.2 =$
$30 \div 0.02 =$

② $15 \div 5 =$
⇩
$15 \div 0.5 =$
$15 \div 0.05 =$

⑤ $24 \div 3 =$
⇩
$24 \div 0.3 =$
$24 \div 0.03 =$

⑧ $66 \div 6 =$
⇩
$66 \div 0.6 =$
$66 \div 0.06 =$

③ $16 \div 8 =$
⇩
$16 \div 0.8 =$
$16 \div 0.08 =$

⑥ $28 \div 4 =$
⇩
$28 \div 0.4 =$
$28 \div 0.04 =$

⑨ $76 \div 4 =$
⇩
$76 \div 0.4 =$
$76 \div 0.04 =$

12 **나누는 수가 같을 때 나누어지는 수와 몫의 관계**

나누는 수가 같을 때
나누어지는 수가
10배, 100배가 되면
몫도 10배, 100배가 돼!

- $1.47 \div 0.07$을 이용하여
  $14.7 \div 0.07$과 $147 \div 0.07$ 계산하기

$$1.47 \div 0.07 = 21$$
$$14.7 \div 0.07 = 210 \quad \text{10배}$$
$$147 \div 0.07 = 2100 \quad \text{100배}$$

○ 계산해 보시오.

⑩ $1.08 \div 0.03 =$
⇩
$10.8 \div 0.03 =$
$108 \div 0.03 =$

⑬ $2.25 \div 0.09 =$
⇩
$22.5 \div 0.09 =$
$225 \div 0.09 =$

⑯ $3.43 \div 0.07 =$
⇩
$34.3 \div 0.07 =$
$343 \div 0.07 =$

⑪ $1.38 \div 0.06 =$
⇩
$13.8 \div 0.06 =$
$138 \div 0.06 =$

⑭ $2.48 \div 0.08 =$
⇩
$24.8 \div 0.08 =$
$248 \div 0.08 =$

⑰ $4.64 \div 0.08 =$
⇩
$46.4 \div 0.08 =$
$464 \div 0.08 =$

⑫ $1.68 \div 0.04 =$
⇩
$16.8 \div 0.04 =$
$168 \div 0.04 =$

⑮ $2.95 \div 0.05 =$
⇩
$29.5 \div 0.05 =$
$295 \div 0.05 =$

⑱ $5.58 \div 0.09 =$
⇩
$55.8 \div 0.09 =$
$558 \div 0.09 =$

곱셈과 나눗셈의 관계를 이용해!

$$■ × ▲ = ● → \begin{cases} ● ÷ ▲ = ■ \\ ● ÷ ■ = ▲ \end{cases}$$

- '$□ × 0.6 = 3.6$'에서 $□$의 값 구하기

$□ × 0.6 = 3.6$

⇨ 곱셈과 나눗셈의 관계를 이용하면

$3.6 ÷ 0.6 = □$, $□ = 6$

- '$0.8 × □ = 3.2$'에서 $□$의 값 구하기

$0.8 × □ = 3.2$

⇨ 곱셈과 나눗셈의 관계를 이용하면

$3.2 ÷ 0.8 = □$, $□ = 4$

○ 어떤 수($□$)를 구해 보시오.

❶ $□ × 1.3 = 5.2$

❷ $□ × 2.14 = 6.42$

❸ $□ × 2.3 = 9.43$

❹ $□ × 3.5 = 49$

❺ $□ × 4.25 = 102$

❻ $2.2 × □ = 15.4$

❼ $3.79 × □ = 41.69$

❽ $10.8 × □ = 50.76$

❾ $2.8 × □ = 42$

❿ $0.84 × □ = 63$

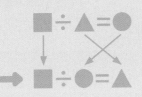

14 나눗셈식에서 어떤 수 구하기

나눗셈식을 다른 나눗셈식으로 만들어!

$$■÷▲=●$$

$$➡ ■÷●=▲$$

○ 어떤 수(□)를 구해 보시오.

⑪ 8.4÷□=1.4

⑯ 42.78÷□=6.9

⑫ 10.8÷□=1.2

⑰ 81÷□=4.5

⑬ 24.97÷□=2.27

⑱ 195÷□=7.8

⑭ 29.38÷□=1.13

⑲ 30÷□=1.25

⑮ 31.32÷□=5.4

⑳ 111÷□=4.44

몫이 가장 큰 소수의 나눗셈식 만들기

(몫이 가장 큰 나눗셈식)
=(가장 큰 수)
÷(가장 작은 수)

● 수 카드 중에서 3장을 골라 한 번씩만 사용하여 몫이 가장 큰 소수의 나눗셈식 완성하고 계산하기

| 2 | 4 | 6 | 7 | $\Box . \Box \div 0. \Box$

· 나누어지는 수가 가장 큰 경우: 7.6
· 나누는 수가 가장 작은 경우: 0.2
⇨ $7.6 \div 0.2 = 38$

○ 수 카드 중에서 3장을 골라 한 번씩만 사용하여 몫이 가장 큰 소수의 나눗셈식을 완성하고 계산해 보시오.

① | 2 | 8 | 4 | 3 |

$\Box . \Box \div 0. \Box$

(   )

④ | 6 | 3 | 5 | 4 |

$\Box . \Box \div 1. \Box$

(   )

② | 3 | 7 | 6 | 9 |

$\Box .72 \div 0. \Box \Box$

(   )

⑤ | 8 | 4 | 5 | 9 |

$0. \Box \Box \div 1. \Box$

(   )

③ | 5 | 4 | 7 | 6 |

$\Box \Box \div 0. \Box$

(   )

⑥ | 2 | 9 | 6 | 5 |

$\Box \div 2. \Box \Box$

(   )

16 몫이 가장 작은 소수의 나눗셈식 만들기

(몫이 가장 작은 나눗셈식)
=(가장 작은 수)
÷(가장 큰 수)

● 수 카드 중에서 3장을 골라 한 번씩만 사용하여 몫이 가장 작은 소수의 나눗셈식 완성하고 계산하기

| 3 | 5 | 6 | 7 | □.□÷0.□

• 나누어지는 수가 가장 작은 경우: 3.5
• 나누는 수가 가장 큰 경우: 0.7
⇨ 3.5÷0.7=5

○ 수 카드 중에서 3장을 골라 한 번씩만 사용하여 몫이 가장 작은 소수의 나눗셈식을 완성하고
계산해 보시오.

❼ | 4 | 2 | 6 | 5 |

□.□ ÷ 0.□

(   )

❿ | 0 | 7 | 5 | 4 |

3.□□ ÷ 0.□6

(   )

❽ | 7 | 6 | 1 | 8 |

0.□□ ÷ 0.□

(   )

⓫ | 9 | 2 | 8 | 1 |

□.□6 ÷ 0.□

(   )

❾ | 5 | 3 | 4 | 1 |

□□ ÷ 0.□

(   )

⓬ | 4 | 1 | 3 | 6 |

□5□ ÷ □.12

(   )

세로 계산식에서
각 수를 구하는 방법을 생각해!

- ●=(■÷▲의 몫)
- ♥=▲×●, ▲=(♥÷●의 몫)
- ★=■−♥

● 소수의 나눗셈식에서 ☐의 값 구하기

$$\begin{array}{r} ㉠\ 3 \\ 1.2\ \overline{)\ 1\ 5\ .\ ㉡} \\ 1\ 2 \\ \hline 3\ ㉢ \\ 3\ ㉣ \\ \hline 0 \end{array}$$

- ☐에서
 $12×㉠=12 \Rightarrow ㉠=1$
- ☐에서
 $12×3=36$
 $\Rightarrow ㉣=㉢=㉡=6$

○ 소수의 나눗셈식을 완성해 보시오.

①

$$\begin{array}{r} \boxed{}\ 6 \\ 0.3\ \overline{)\ 7\ .\ \boxed{}} \\ 6 \\ \hline 1\ \boxed{} \\ \boxed{}\ \boxed{} \\ \hline 0 \end{array}$$

③

$$\begin{array}{r} \boxed{}\ .\ 1 \\ 4.6\ \overline{)\ 5\ .\ \boxed{}\ \boxed{}} \\ 4\ 6 \\ \hline 4\ \boxed{} \\ 4\ \boxed{} \\ \hline 0 \end{array}$$

②

$$\begin{array}{r} \boxed{}\ 2 \\ 1.27\ \overline{)\ 1\ \boxed{}\ .\ \boxed{}\ 4} \\ 1\ 2\ 7 \\ \hline 2\ \boxed{}\ 4 \\ 2\ \boxed{}\ 4 \\ \hline 0 \end{array}$$

④

$$\begin{array}{r} \boxed{}\ .\ 4 \\ 2.9\ \overline{)\ 2\ \boxed{}\ .\ 4\ \boxed{}} \\ 2\ 0\ 3 \\ \hline 1\ 1\ \boxed{} \\ 1\ 1\ \boxed{} \\ \hline 0 \end{array}$$

❺

```
              1 □
3.81 ) 5 7 . □ 5
        □ 8 1
      ─────────
        □ 9 0 5
        □ 9 0 5
      ─────────
                0
```

❽

```
                2 . 3
2 . □ ) 6 . □ □
          5 4
        ───────
          8 □
          8 □
        ───────
            0
```

❻

```
          1 □
1.5 ) 2 □ . 0
      □ 5
    ─────────
      1 2 □
      1 2 □
    ─────────
            0
```

❾

```
                7 5
□ . 2 ) □ 4 □ . 0
        □ 2 4
      ─────────
        1 6 □
        1 6 □
      ─────────
            0
```

❼

```
              3 □
5.25 ) 1 □ □ . 0 0
        1 5 7 5
      ───────────
          1 0 □ 0
          1 0 □ 0
      ───────────
                0
```

❿

```
                2 8
4 . □ ) 1 □ □ . □
          9 6
        ─────────
          3 8 □
          3 8 □
        ─────────
              0
```

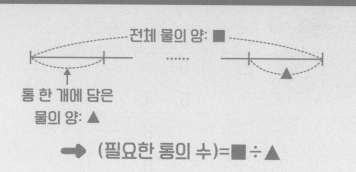

● 문제를 읽고 식을 세워 답 구하기

물 3.6 L를 통 한 개에 0.9 L씩
나누어 담으려고 합니다.
필요한 통은 몇 개입니까?

식 $3.6 \div 0.9 = 4$

답 4개

1 끈 111.6 cm를 한 도막에 6.2 cm씩 자르려고 합니다.
자른 끈은 몇 도막이 됩니까?

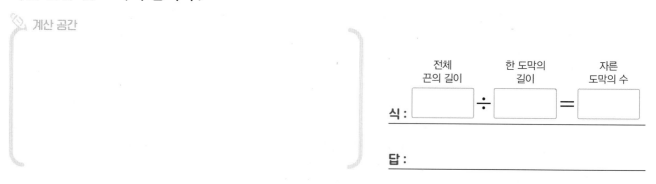

✎ 계산 공간

	전체 끈의 길이		한 도막의 길이		자른 도막의 수
식 :		$\div$		$=$	

답 :

2 집에서 서점까지의 거리는 3.06 km이고,
집에서 학교까지의 거리는 1.53 km입니다.
집에서 서점까지의 거리는 집에서 학교까지의 거리의 몇 배입니까?

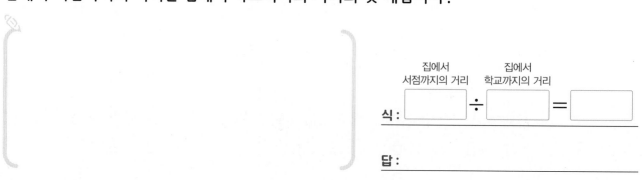

	집에서 서점까지의 거리		집에서 학교까지의 거리		
식 :		$\div$		$=$	

답 :

③ 현주가 딴 귤의 무게는 14 kg이고, 석관이가 딴 귤의 무게는 3.5 kg입니다.
현주가 딴 귤의 무게는 석관이가 딴 귤의 무게의 몇 배입니까?

식 : _____

답 : _____

④ 쌀 210 kg을 한 봉지에 5.25 kg씩 담아서 팔려고 합니다.
팔 수 있는 쌀은 몇 봉지입니까?

식 : _____

답 : _____

⑤ 노란색 색연필의 길이는 8 cm이고, 파란색 색연필의 길이는 7 cm입니다.
노란색 색연필의 길이는 파란색 색연필의 길이의 몇 배인지
반올림하여 소수 둘째 자리까지 나타내어 보시오.

식 : _____

답 : _____

19 서로 다른 단위가 섞여 있는 소수의 나눗셈 문장제

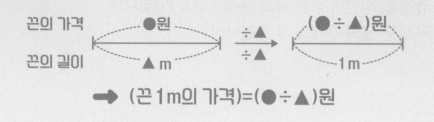

● 문제를 읽고 식을 세워 답 구하기
어느 마트에서 파는 끈 1.4 m의
가격이 280원입니다.
이 끈 1 m의 가격은 얼마입니까?

식 280÷1.4=200

답 200원

---

① 물이 일정하게 나오는 수도로 3.4분 동안 물 27.2 L를 받았습니다.
이 수도에서 1분 동안 나오는 물은 몇 L입니까?

✎ 계산 공간

식 :

답 :

---

② 어떤 자동차는 연료 3.13 L를 넣으면 78.25 km를 갈 수 있습니다.
이 자동차는 연료 1 L를 넣으면 몇 km를 갈 수 있습니까?

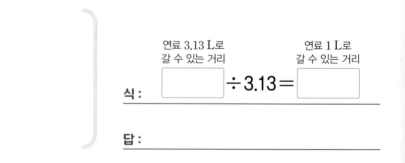

식 :

답 :

❸ 굵기가 일정한 쇠막대 5.2 m의 무게가 24.44 kg입니다.
이 쇠막대 1 m의 무게는 몇 kg입니까?

식 : _____

답 : _____

❹ 일정한 빠르기로 1.5시간 동안 168 km를 갈 수 있는 기차가 있습니다.
이 기차는 한 시간 동안 몇 km를 갈 수 있습니까?

식 : _____

답 : _____

❺ 식혜 5.2 L를 7명이 똑같이 나누어 마시려고 합니다.
한 사람이 마실 수 있는 식혜는 몇 L인지 반올림하여 소수 첫째 자리까지 나타내어 보시오.

식 : _____

답 : _____

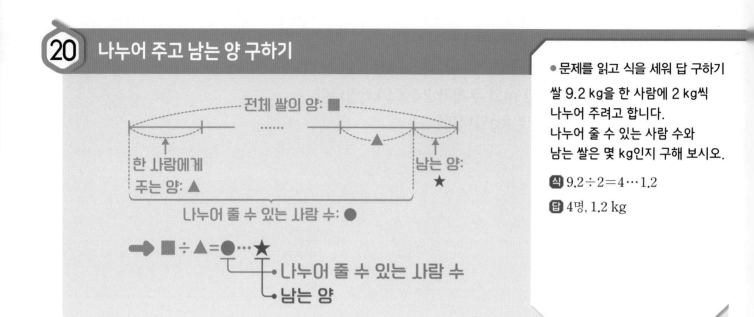

20 나누어 주고 남는 양 구하기

전체 쌀의 양: ■

한 사람에게
주는 양: ▲

남는 양:
★

나누어 줄 수 있는 사람 수: ●

➡ ■ ÷ ▲ = ● ··· ★
  └─ 나누어 줄 수 있는 사람 수
  └─ 남는 양

● 문제를 읽고 식을 세워 답 구하기

쌀 9.2 kg을 한 사람에 2 kg씩
나누어 주려고 합니다.
나누어 줄 수 있는 사람 수와
남는 쌀은 몇 kg인지 구해 보시오.

식 9.2 ÷ 2 = 4 ··· 1.2

답 4명, 1.2 kg

① 물 8.1 L를 한 사람에 3 L씩 나누어 주려고 합니다.
   나누어 줄 수 있는 사람 수와 남는 물은 몇 L인지 구해 보시오.

계산 공간

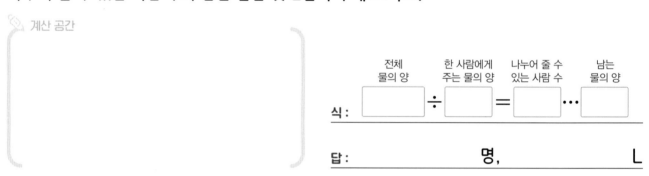

전체 물의 양		한 사람에게 주는 물의 양		나누어 줄 수 있는 사람 수		남는 물의 양
식:	÷		=		···	

답:　　　　　　　명,　　　　　　　L

② 설탕 45.9 g을 한 봉지에 9 g씩 나누어 담으려고 합니다.
   나누어 담을 수 있는 봉지 수와 남는 설탕은 몇 g인지 구해 보시오.

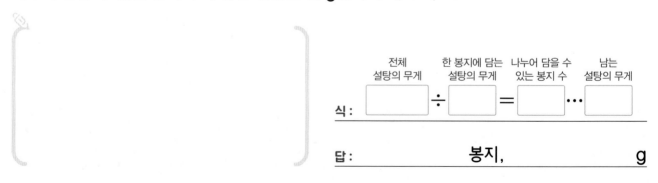

전체 설탕의 무게		한 봉지에 담는 설탕의 무게		나누어 담을 수 있는 봉지 수		남는 설탕의 무게
식:	÷		=		···	

답:　　　　　　　봉지,　　　　　　　g

③ 모래 51.5 kg을 한 통에 5 kg씩 나누어 담으려고 합니다.
나누어 담을 수 있는 통 수와 남는 모래는 몇 kg인지 구해 보시오.

식 : _____

답 : _____ 통, _____ kg

④ 금 3 g으로 반지 한 개를 만들 수 있습니다.
금 52.2 g으로 똑같은 반지를 만들 때,
만들 수 있는 반지 수와 남는 금은 몇 g인지 구해 보시오.

식 : _____

답 : _____ 개, _____ g

⑤ 포도 86.4 kg을 한 상자에 6 kg씩 나누어 담으려고 합니다.
나누어 담을 수 있는 상자 수와 남는 포도는 몇 kg인지 구해 보시오.

식 : _____

답 : _____ 상자, _____ kg

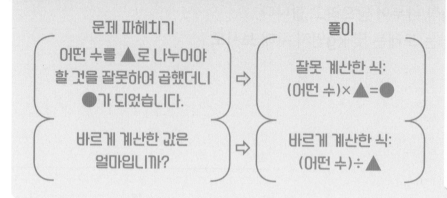

● 문제를 읽고 해결하기

어떤 수를 2.2로 나누어야 할 것을 잘못하여 곱했더니 24.2가 되었습니다. 바르게 계산한 값은 얼마입니까?

어떤 수
풀이 $\square \times 2.2 = 24.2$
$\Rightarrow 24.2 \div 2.2 = \square$, $\square = 11$
따라서 바르게 계산한 값은
$11 \div 2.2 = 5$입니다.

답 5

① 어떤 수를 1.4로 나누어야 할 것을 잘못하여 곱했더니 9.8이 되었습니다.
바르게 계산한 값은 얼마입니까?

✎ 풀이 공간

어떤 수
$\blacksquare \times 1.4 = \boxed{}$

$\Rightarrow \boxed{} \div 1.4 = \blacksquare$, $\blacksquare = \boxed{}$

따라서 바르게 계산한 값은 $\boxed{} \div 1.4 = \boxed{}$입니다.

답 : _____

② 5.4를 어떤 수로 나누어야 할 것을 잘못하여 곱했더니 9.72가 되었습니다.
바르게 계산한 값은 얼마입니까?

✎

어떤 수
$5.4 \times \blacksquare = \boxed{}$

$\Rightarrow \boxed{} \div 5.4 = \blacksquare$, $\blacksquare = \boxed{}$

따라서 바르게 계산한 값은 $5.4 \div \boxed{} = \boxed{}$입니다.

답 : _____

③ 어떤 수를 0.3으로 나누어야 할 것을 잘못하여 곱했더니 0.63이 되었습니다.
바르게 계산한 값은 얼마입니까?

답 : _____

④ 어떤 수를 3.5로 나누어야 할 것을 잘못하여 곱했더니 73.5가 되었습니다.
바르게 계산한 값은 얼마입니까?

답 : _____

⑤ 22.4를 어떤 수로 나누어야 할 것을 잘못하여 곱했더니 125.44가 되었습니다.
바르게 계산한 값은 얼마입니까?

답 : _____

○ 계산해 보시오.

1

$$3.1 \overline{)24.8}$$

2

$$1.94 \overline{)27.16}$$

3

$$6.7 \overline{)36.85}$$

4

$$4.5 \overline{)117}$$

5

$$1.36 \overline{)102}$$

6 $26.4 \div 2.4 =$

7 $39.48 \div 9.87 =$

8 $42.12 \div 10.8 =$

9 $78 \div 5.2 =$

10 $132 \div 2.75 =$

○ 몫을 반올림하여 소수 첫째 자리까지 나타내어 보시오.

11 $16 \div 7$ (   )

12 $31 \div 19$ (   )

○ 나눗셈의 몫을 자연수까지만 구하고 남는 수를 구해 보시오.

13 $8.1 \div 5$

몫 (   ), 남는 수 (   )

14 $36.9 \div 6$

몫 (   ), 남는 수 (   )

15 수박의 무게는 3.6 kg이고, 사과의 무게는 0.4 kg입니다. 수박 무게는 사과 무게의 몇 배입니까?

식 _____

답 _____

16 털실 130 m를 한 도막에 5.2 m씩 잘라서 팔려고 합니다. 팔 수 있는 털실은 몇 도막입니까?

식 _____

답 _____

17 굵기가 일정한 철근 10.8 m의 무게가 63.72 kg입니다. 이 철근 1 m의 무게는 몇 kg입니까?

식 _____

답 _____

18 페인트 7.4 L를 한 사람에 2 L씩 나누어 주려고 합니다. 나누어 줄 수 있는 사람 수와 남는 페인트는 몇 L인지 구해 보시오.

식 _____

답 _____ 명, _____ L

19 수 카드 중에서 3장을 골라 한 번씩만 사용하여 몫이 가장 큰 소수의 나눗셈식을 완성하고 계산해 보시오.

| 7 | 4 | 3 | 8 |

☐☐ ÷ 0.☐

(_____)

20 어떤 수를 2.1로 나누어야 할 것을 잘못하여 곱했더니 22.05가 되었습니다. 바르게 계산한 값은 얼마입니까?

(_____)

공간과 입체

◆ 맞힌 개수와 걸린 시간을 작성해 보세요.

학습 내용	일 차	맞힌 개수	걸린 시간
⑦ 쌓기나무 1개를 붙여서 만들 수 있는 모양 찾기	7일 차	/10개	/10분
⑧ 사용한 두 가지 모양 찾기			
⑨ 1층 모양을 보고 다른 층의 모양 찾기	8일 차	/10개	/15분
⑩ 사용한 쌓기나무의 개수와 위와 앞에서 본 모양을 알 때, 옆에서 본 모양 그리기			
평가 3. 공간과 입체	9일 차	/13개	/18분

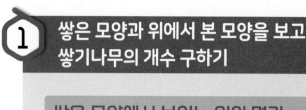

쌓은 모양과 위에서 본 모양을 보고 쌓기나무의 개수 구하기

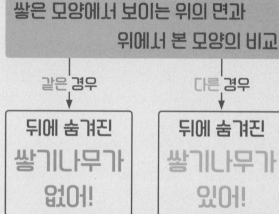

쌓은 모양에서 보이는 위의 면과 위에서 본 모양의 비교

같은 경우 ↓ 뒤에 숨겨진 **쌓기나무가 없어!**

다른 경우 ↓ 뒤에 숨겨진 **쌓기나무가 있어!**

● 쌓은 모양과 위에서 본 모양을 보고 쌓기나무의 개수 구하기

• 쌓은 모양에서 보이는 위의 면과 위에서 본 모양이 같은 경우

위에서 본 모양

⇨ (쌓기나무의 개수)
$= \underset{1층}{3} + \underset{2층}{3} = 6$(개)

• 쌓은 모양에서 보이는 위의 면과 위에서 본 모양이 다른 경우

 •숨겨진 쌓기나무

위에서 본 모양

⇨ (쌓기나무의 개수)
$= \underset{1층}{4} + \underset{2층}{3} = 7$(개)

○ 주어진 모양과 똑같이 쌓는 데 필요한 쌓기나무의 개수를 구해 보시오.

1

위에서 본 모양

( )

2

위에서 본 모양

( )

3

위에서 본 모양

( )

4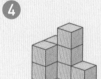

위에서 본 모양

( )

5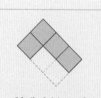

위에서 본 모양

( )

6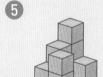

위에서 본 모양

( )

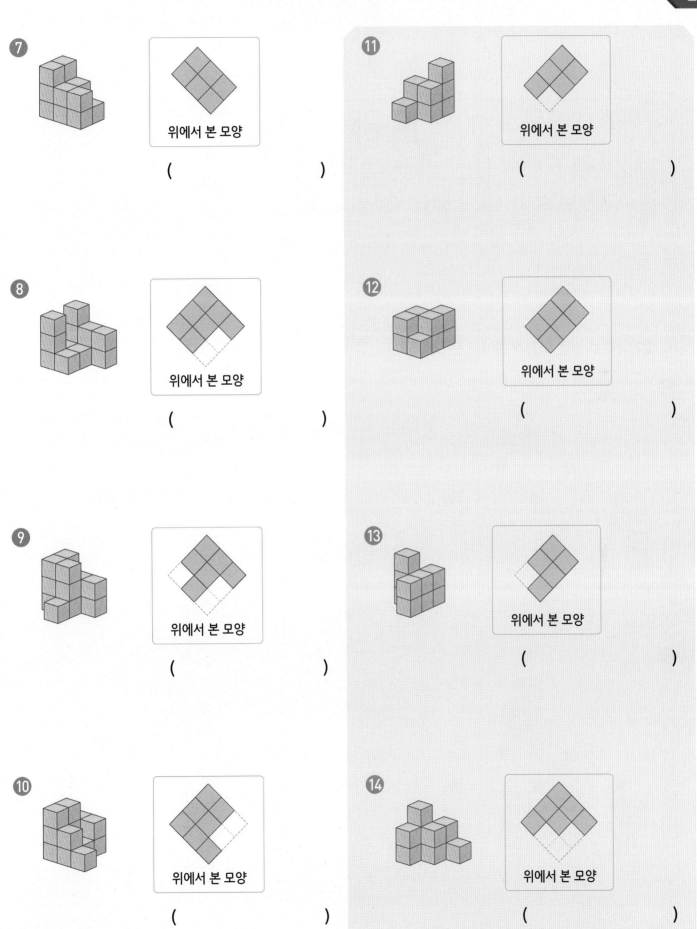

7 위에서 본 모양

( )

8 위에서 본 모양

( )

9 위에서 본 모양

( )

10 위에서 본 모양

( )

11 위에서 본 모양

( )

12 위에서 본 모양

( )

13 위에서 본 모양

( )

14 위에서 본 모양

( )

2 쌓은 모양을 보고 위, 앞, 옆에서 본 모양 그리기

● 쌓은 모양을 보고 위, 앞, 옆에서 본 모양 그리기

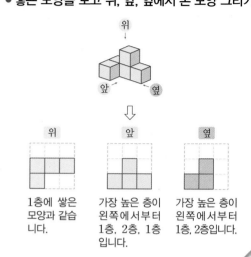

위에서 본 모양	=	1층 모양
앞 또는 **옆**에서 본 모양	=	각 줄의 가장 높은 층의 모양

1층에 쌓은 모양과 같습니다.

가장 높은 층이 왼쪽에서부터 1층, 2층, 1층 입니다.

가장 높은 층이 왼쪽에서부터 1층, 2층입니다.

○ 쌓기나무로 쌓은 모양과 위에서 본 모양입니다. 앞과 옆에서 본 모양을 각각 그려 보시오.

①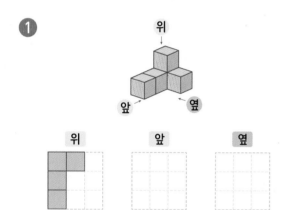

③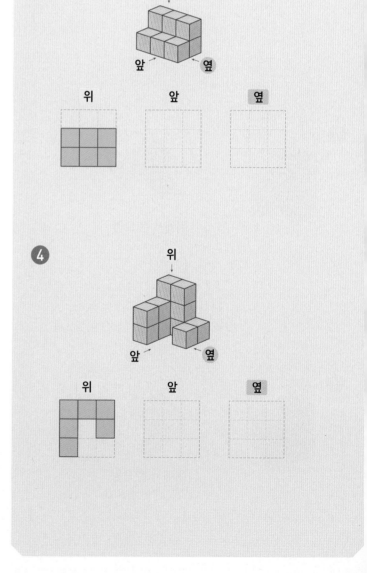

②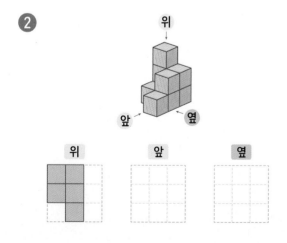

④

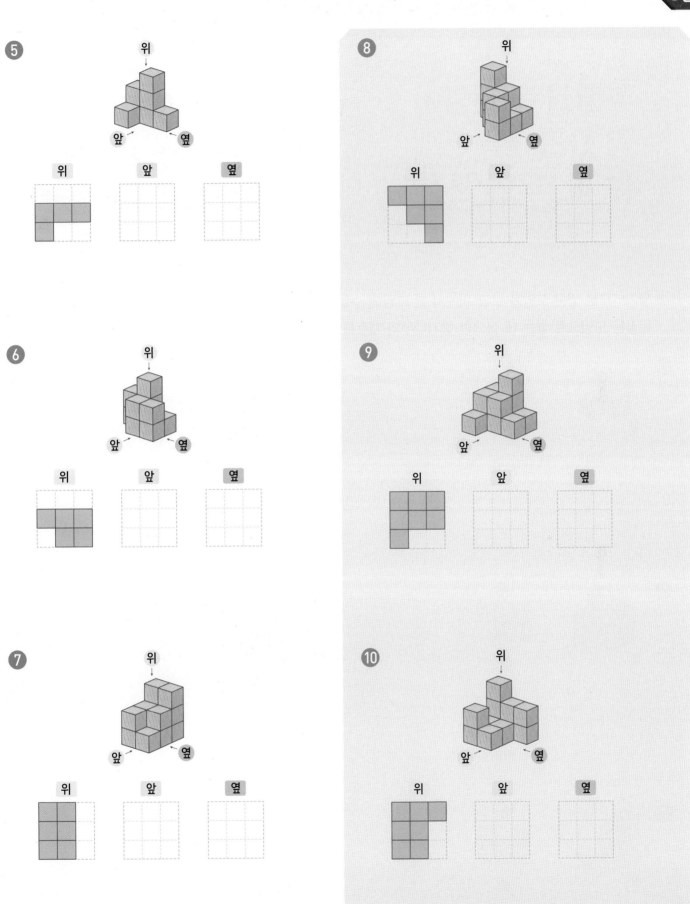

❺ 위

앞 → ← 옆

| 위 | 앞 | 옆 |

❻ 위

앞 → ← 옆

| 위 | 앞 | 옆 |

❼ 위

앞 → ← 옆

| 위 | 앞 | 옆 |

❽ 위

앞 → ← 옆

| 위 | 앞 | 옆 |

분 맞힌 개수 /10

❾ 위

앞 → ← 옆

| 위 | 앞 | 옆 |

❿ 위

앞 → ← 옆

| 위 | 앞 | 옆 |

위에서 본 모양에
각 자리에 쌓인
쌓기나무의 개수를 써서 더해!

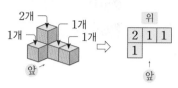
○ 쌓기나무로 쌓은 모양을 보고 위에서 본 모양에 수를 쓰고
똑같은 모양으로 쌓는 데 필요한 쌓기나무의 개수를 구해 보시오.

❶

( )

❷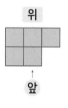

( )

❸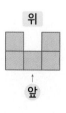

( )

❹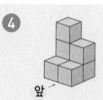

( )

❺

( )

❻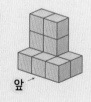

( )

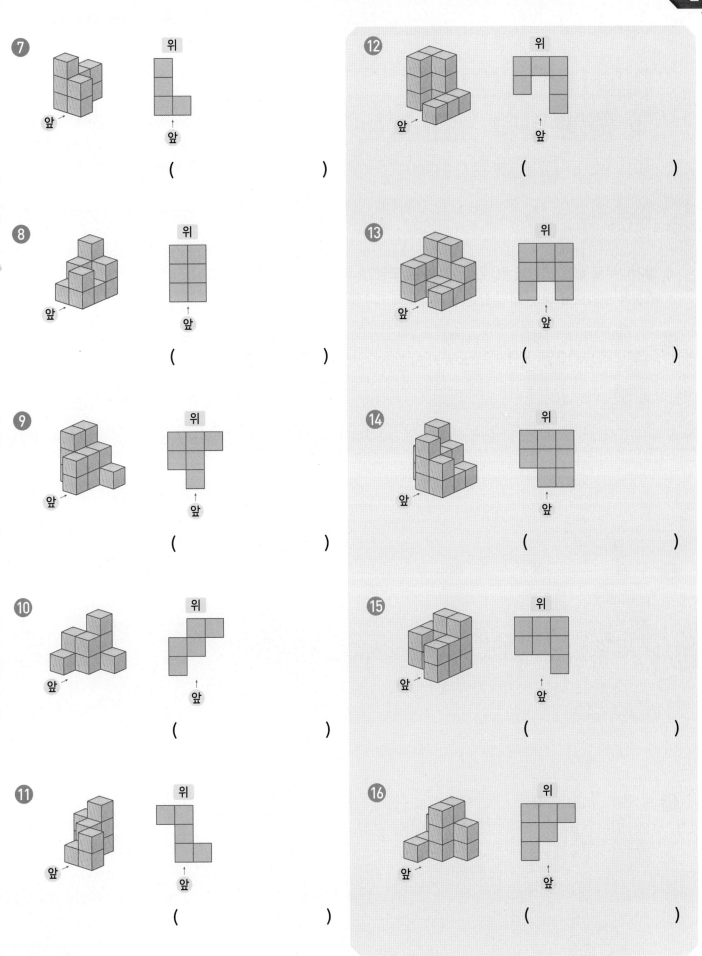

⑦ 위
앞 ↑앞
( )

⑧ 위
앞 ↑앞
( )

⑨ 위
앞 ↑앞
( )

⑩ 위
앞 ↑앞
( )

⑪ 위
앞 ↑앞
( )

⑫ 위
앞 ↑앞
( )

⑬ 위
앞 ↑앞
( )

⑭ 위
앞 ↑앞
( )

⑮ 위
앞 ↑앞
( )

⑯ 위
앞 ↑앞
( )

위에서 본 모양에
각 줄에 가장 높이 있는
쌓기나무의 **개수**를 써서 더해!

● 위, 앞, 옆에서 본 모양을 보고 쌓기나무의 개수 구하기
└ 오른쪽 옆에서 본 모양

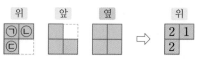

• 앞 : ⓒ 자리에 쌓기나무가 1개 놓입니다.
• 옆 : ⓐ과 ⓒ 자리에 쌓기나무가 2개씩 놓입니다.

(쌓기나무의 개수)=2+1+2=5(개)
　　　　　　　　 ⓐ　 ⓒ 　ⓒ

○ 쌓기나무로 쌓은 모양을 위, 앞, 옆에서 본 모양입니다.
똑같은 모양으로 쌓는 데 필요한 쌓기나무의 개수를 구해 보시오.

① 위　　　 앞　　　 옆

 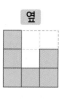

(　　　　　　)

④ 위　　　 앞　　　 옆

(　　　　　　)

② 위　　　 앞　　　 옆

 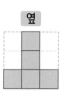

(　　　　　　)

⑤ 위　　　 앞　　　 옆

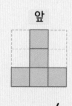 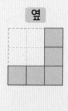

(　　　　　　)

③ 위　　　 앞　　　 옆

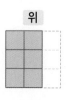 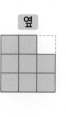

(　　　　　　)

⑥ 위　　　 앞　　　 옆

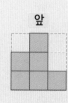 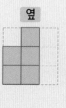

(　　　　　　)

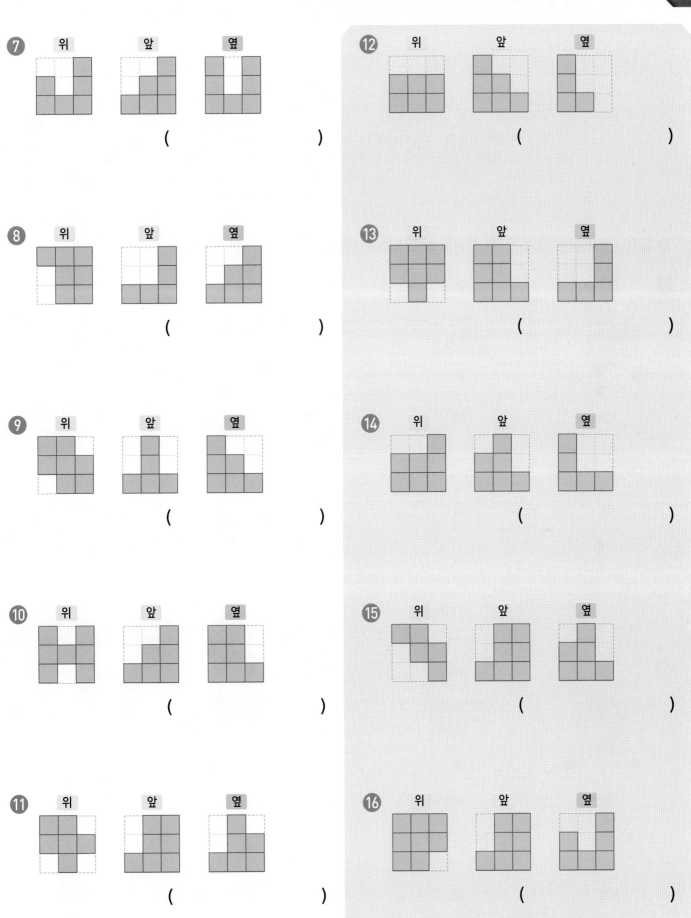

⑦ 위　　앞　　옆

(　　　　　　　)

⑧ 위　　앞　　옆

(　　　　　　　)

⑨ 위　　앞　　옆

(　　　　　　　)

⑩ 위　　앞　　옆

(　　　　　　　)

⑪ 위　　앞　　옆

(　　　　　　　)

⑫ 위　　앞　　옆

(　　　　　　　)

⑬ 위　　앞　　옆

(　　　　　　　)

⑭ 위　　앞　　옆

(　　　　　　　)

⑮ 위　　앞　　옆

(　　　　　　　)

⑯ 위　　앞　　옆

(　　　　　　　)

위에서 본 모양에서 같은 위치에 있는 층은 같은 위치에 그려!

• 쌓은 모양을 보고 층별로 나타낸 모양 그리기

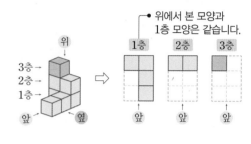

위에서 본 모양과 1층 모양은 같습니다.

○ 쌓기나무로 쌓은 모양과 1층 모양을 보고 2층과 3층 모양을 각각 그려 보시오.

1

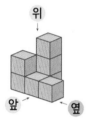

1층
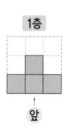

2층

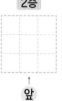

3층

2
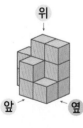

1층

2층

3층
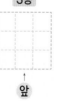

3
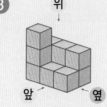

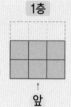

1층

2층

3층

4
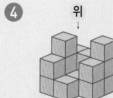

1층
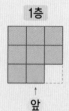

2층

3층

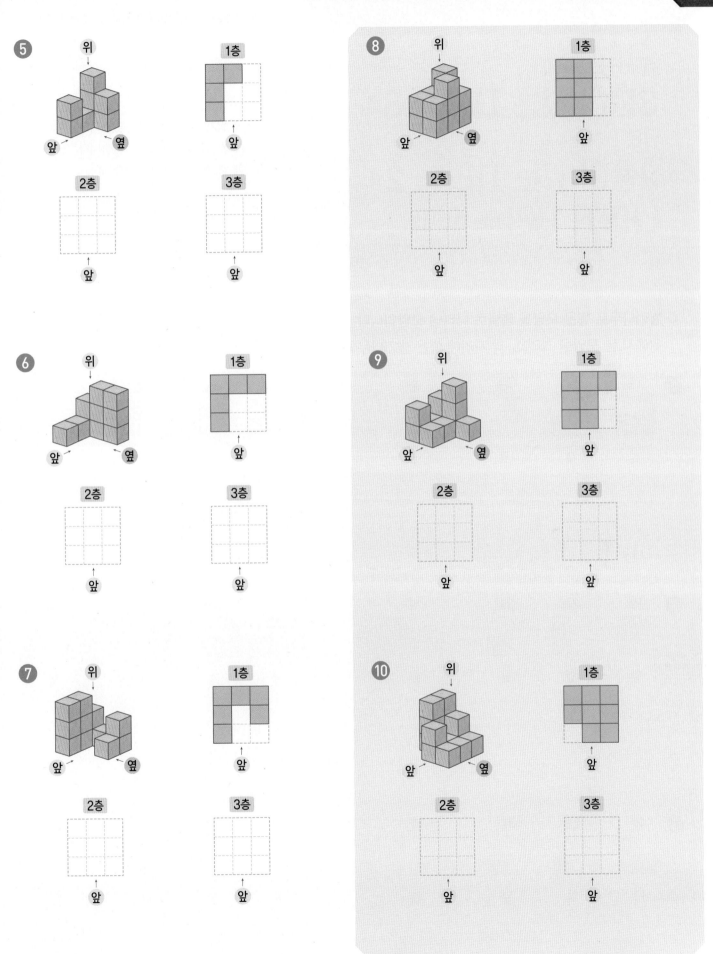

⑤ 위 → 앞 ← 옆

1층 ↑ 앞

2층 ↑ 앞

3층 ↑ 앞

⑥ 위 → 앞 → ← 옆

1층 ↑ 앞

2층 ↑ 앞

3층 ↑ 앞

⑦ 위 → 앞 → ← 옆

1층 ↑ 앞

2층 ↑ 앞

3층 ↑ 앞

⑧ 위 → 앞 ← 옆

1층 ↑ 앞

2층 ↑ 앞

3층 ↑ 앞

⑨ 위 → 앞 → ← 옆

1층 ↑ 앞

2층 ↑ 앞

3층 ↑ 앞

⑩ 위 → 앞 → ← 옆

1층 ↑ 앞

2층 ↑ 앞

3층 ↑ 앞

6 층별로 나타낸 모양을 보고 위에서 본 모양에 수 쓰기

위에서 본 모양에

3층이 있는 자리에는 3을,

남은 자리 중

2층이 있는 자리에는 2를,

나머지 자리에는 1을 써!

● 층별로 나타낸 모양을 보고 위에서 본 모양에 수 쓰기

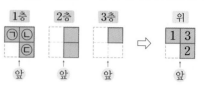

- ㉡ 자리에 쌓기나무가 3층까지 있습니다.
- ㉢ 자리에 쌓기나무가 2층까지 있습니다.
- ㉠ 자리에 쌓기나무가 1층만 있습니다.

○ 쌓기나무로 쌓은 모양을 층별로 나타낸 모양입니다.

위에서 본 모양을 그리고, 각 자리에 쌓은 쌓기나무의 개수를 써 보시오.

①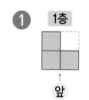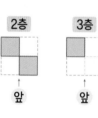

②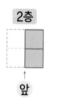

③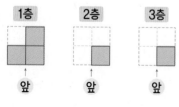

④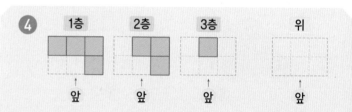

⑤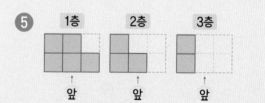

⑥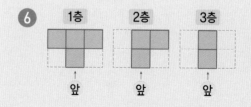

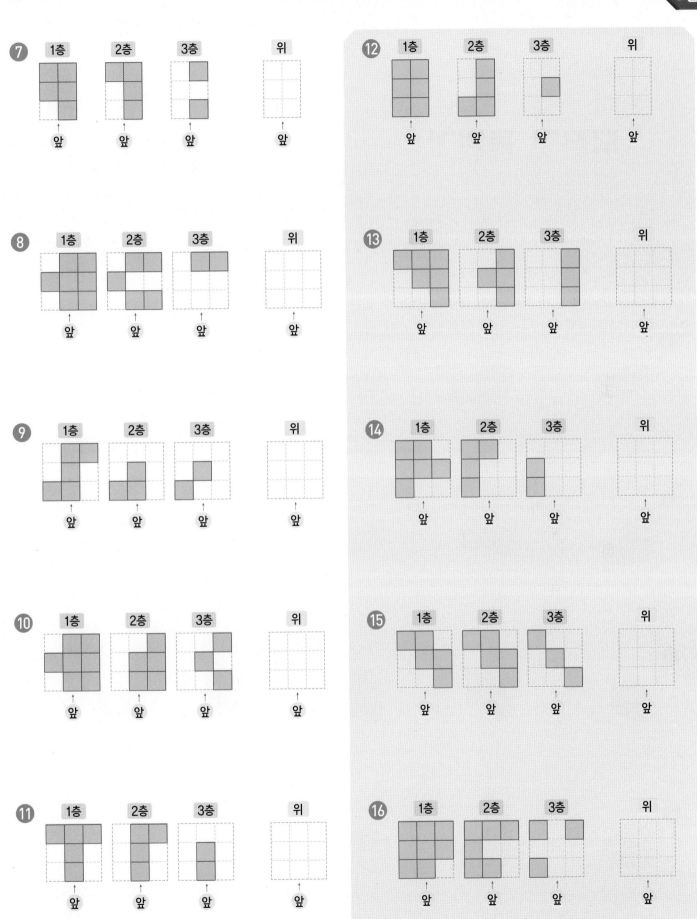

주어진 모양에 쌓기나무 1개를 붙여서
만든 모양 또는 그 모양을
뒤집기, 돌리기 했을 때의
모양을 찾아!

● 주어진 모양에 쌓기나무 1개를 붙여서 만들 수 있는 모양 찾기

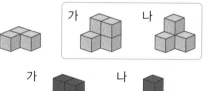

⇨ 주어진 모양에 쌓기나무 1개를 붙여서 만들 수 있는 모양: 나

○ 주어진 모양에 쌓기나무 1개를 붙여서 만들 수 있는 모양이 <u>아닌</u> 것을 찾아보시오.

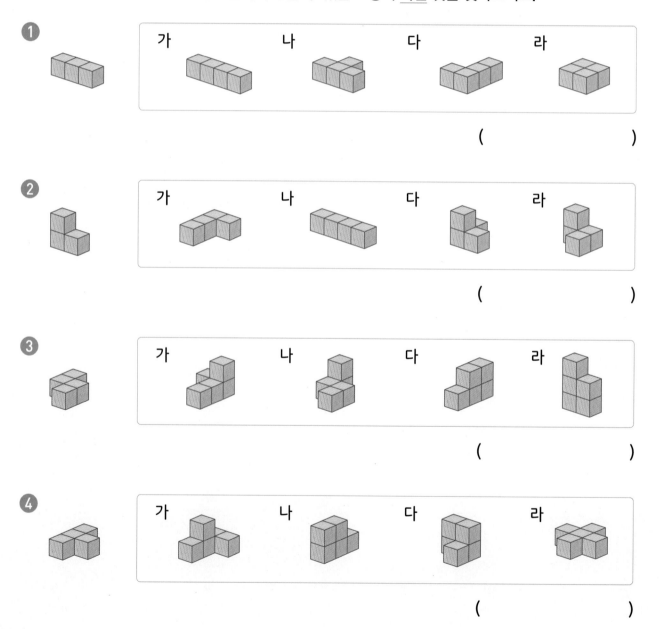

(   )

(   )

(   )

(   )

8 사용한 두 가지 모양 찾기

● 가, 나, 다 모양 중에서 두 가지를 사용하여 만든
새로운 모양을 보고 사용한 두 가지 모양 찾기

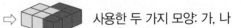

사용한 두 가지 모양: 가, 나

7일 차 학습한 날

주어진 모양을 그대로 이용하거나
뒤집기, 돌리기 하여
붙였을 때 만들 수 있는 모양인지 확인해!

○ 가, 나, 다 모양 중에서 두 가지를 사용하여 다음과 같이 새로운 모양을 만들었습니다.
사용한 두 가지 모양을 찾아보시오.

❺

(   )

❽

(   )

❻

(   )

❾

(   )

❼

(   )

❿

(   )

2층에 쌓으려면
1층에 쌓기나무가 있어야 하고,
3층에 쌓으려면
1층, 2층에 쌓기나무가 있어야 해!

● 1층 모양을 보고 2층과 3층에 쌓을 수 있는 모양 찾기

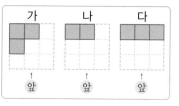

2층에 쌓을 수 있는 모양은 나, 다입니다.
2층에 나를 쌓으면 3층에 다를 쌓을 수 없습니다.
2층에 다를 쌓으면 3층에 나를 쌓을 수 있습니다.
⇨ 2층에 쌓을 수 있는 모양: 다
　 3층에 쌓을 수 있는 모양: 나

○ 쌓기나무로 1층 위에 서로 다른 모양으로 2층과 3층을 쌓으려고 합니다.
　 1층 모양을 보고 2층과 3층에 쌓을 수 있는 알맞은 모양을 찾아보시오.

① 1층　　　　2층　　　　3층
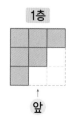　（　　　）（　　　）

③ 1층　　　　2층　　　　3층
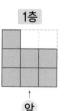　（　　　）（　　　）

② 1층　　　　2층　　　　3층
　（　　　）（　　　）

④ 1층　　　　2층　　　　3층
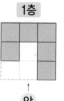　（　　　）（　　　）

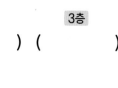

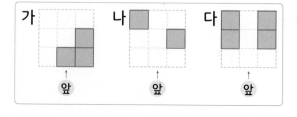

10 사용한 쌓기나무의 개수와 위와 앞에서 본 모양을 알 때, 옆에서 본 모양 그리기

위와 앞에서 본 모양을 보고
각 자리에 쌓인 쌓기나무의 개수를
알 수 없을 때에는

쌓기나무의 **전체 개수**를

이용해!

● 쌓기나무 10개로 쌓은 모양을 위와 앞에서 본 모양을
보고 옆에서 본 모양 그리기

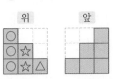

앞에서 본 모양을 보면 쌓기나무가 ○ 자리는
1개씩, △ 자리는 3개입니다. 쌓기나무 10개로
쌓은 모양이므로 ☆ 자리는 2개씩입니다.

⇨ 옆에서 본 모양:

◎ 쌓기나무로 쌓은 모양을 위와 앞에서 본 모양입니다. 옆에서 본 모양을 그려 보시오.

❺ 사용한 쌓기나무: 8개

위	앞	옆

❽ 사용한 쌓기나무: 10개

위	앞	옆

❻ 사용한 쌓기나무: 9개

위	앞	옆

❾ 사용한 쌓기나무: 10개

위	앞	옆

❼ 사용한 쌓기나무: 9개

위	앞	옆
	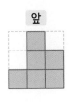	

❿ 사용한 쌓기나무: 12개

위	앞	옆

○ 주어진 모양과 똑같이 쌓는 데 필요한 쌓기나무의 개수를 구해 보시오.

1

위에서 본 모양

( )

2

위에서 본 모양

( )

3 쌓기나무로 쌓은 모양과 위에서 본 모양입니다. 앞과 옆에서 본 모양을 각각 그려 보시오.

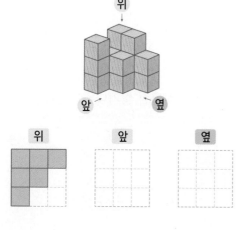

○ 쌓기나무로 쌓은 모양을 보고 위에서 본 모양에 수를 쓰고 똑같은 모양으로 쌓는 데 필요한 쌓기나무의 개수를 구해 보시오.

4

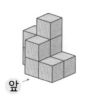

위

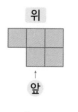

앞

( )

5

위

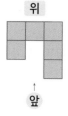

앞

( )

○ 쌓기나무로 쌓은 모양을 위, 앞, 옆에서 본 모양입니다. 똑같은 모양으로 쌓는 데 필요한 쌓기나무의 개수를 구해 보시오.

6 위 앞 옆

( )

7 위 앞 옆

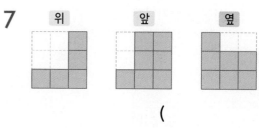

( )

8 쌓기나무로 쌓은 모양과 1층 모양을 보고 2층과 3층 모양을 각각 그려 보시오.

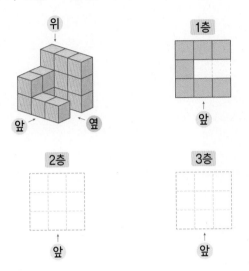

9 쌓기나무로 쌓은 모양을 층별로 나타낸 모양입니다. 위에서 본 모양을 그리고, 각 자리에 쌓은 쌓기나무의 개수를 써 보시오.

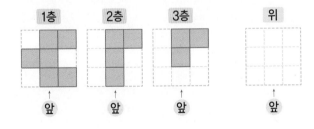

10 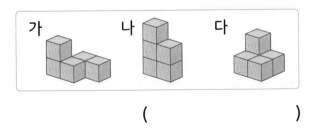 모양에 쌓기나무 1개를 붙여서 만들 수 있는 모양이 <u>아닌</u> 것을 찾아보시오.

( )

11 가, 나, 다 모양 중에서 두 가지를 사용하여 새로운 모양을 만들었습니다. 사용한 두 가지 모양을 찾아보시오.

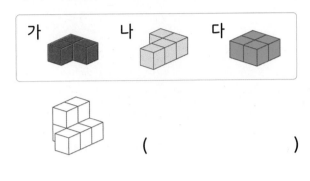

( )

12 쌓기나무로 1층 위에 서로 다른 모양으로 2층과 3층을 쌓으려고 합니다. 1층 모양을 보고 2층과 3층에 쌓을 수 있는 알맞은 모양을 찾아보시오.

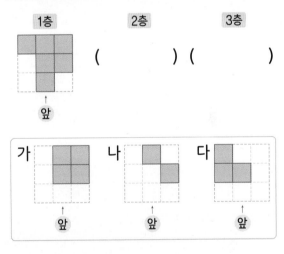

13 쌓기나무 11개로 쌓은 모양을 위와 앞에서 본 모양입니다. 옆에서 본 모양을 그려 보시오.

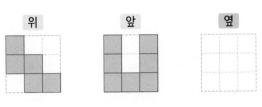

비례식과 비례배분

학습 내용	일 차	맞힌 개수	걸린 시간
① 곱셈을 이용한 비의 성질	1일 차	/12개	/5분
② 나눗셈을 이용한 비의 성질			
③ 자연수의 비를 간단한 자연수의 비로 나타내기	2일 차	/36개	/18분
④ 소수의 비를 간단한 자연수의 비로 나타내기	3일 차	/36개	/18분
⑤ 분수의 비를 간단한 자연수의 비로 나타내기	4일 차	/30개	/16분
⑥ 소수와 분수의 비를 간단한 자연수의 비로 나타내기	5일 차	/30개	/15분
⑦ 비례식	6일 차	/20개	/6분
⑧ 비례식의 성질	7일 차	/24개	/12분
⑨ 비례배분	8일 차	/24개	/12분

◆ 맞힌 개수와 걸린 시간을 작성해 보세요.

학습 내용	일 차	맞힌 개수	걸린 시간
⑩ 두 직사각형의 한 변의 길이가 같을 때 넓이의 비	9일 차	/12개	/9분
⑪ 두 정사각형의 넓이의 비			
⑫ 전항(후항)과 비율을 알 때 후항(전항)을 구하기	10일 차	/13개	/13분
⑬ 비례배분하기 전의 전체 양 구하기			
⑭ 간단한 자연수의 비로 나타내는 문장제	11일 차	/5개	/4분
⑮ 비례식 문장제	12일 차	/5개	/5분
⑯ 비례배분 문장제	13일 차	/5개	/6분
평가 4. 비례식과 비례배분	14일 차	/20개	/20분

● 비의 전항과 후항

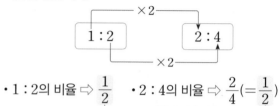

기호 ':'의 앞에 있는 수 ● — **전항 후항** — ● 기호 ':'의 뒤에 있는 수

● 곱셈을 이용한 비의 성질

비의 전항과 후항에 각각 0이 아닌 같은 수를 곱하여도
비율은 같습니다.

- 1 : 2의 비율 ⇨ $\dfrac{1}{2}$ - 2 : 4의 비율 ⇨ $\dfrac{2}{4}\left(=\dfrac{1}{2}\right)$
  ─ 비율이 같습니다. ─

비의 **전항과 후항에**
각각 0이 아닌 **같은 수를**
곱하여도 비율은 같아!

○ 비의 전항과 후항에 각각 0이 아닌 같은 수를 곱하여 비율이 같은 비를 만들어 보시오.

1
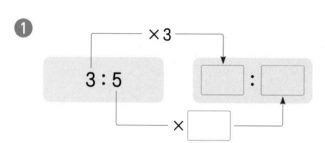

2
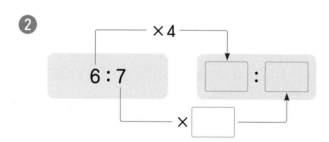

3
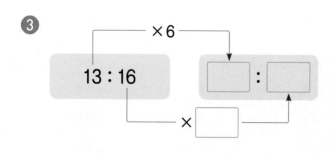

4
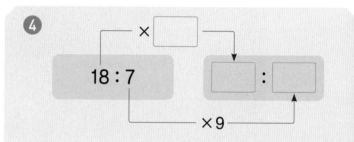

5
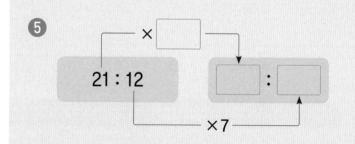

6
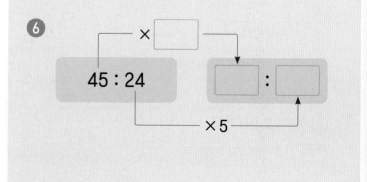

2 나눗셈을 이용한 비의 성질

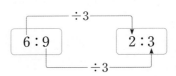

● 나눗셈을 이용한 비의 성질

비의 전항과 후항을 각각 0이 아닌 같은 수로 나누어도 비율은 같습니다.

$$6:9 \xrightarrow{\div 3} 2:3$$

- 6 : 9의 비율 ⇨ $\frac{6}{9}\left(=\frac{2}{3}\right)$ · 2 : 3의 비율 ⇨ $\frac{2}{3}$

비율이 같습니다.

비의 **전항과 후항을** 각각 0이 아닌 **같은 수로** **나누어도** 비율은 같아!

○ 비의 전항과 후항을 각각 0이 아닌 같은 수로 나누어 비율이 같은 비를 만들어 보시오.

⑦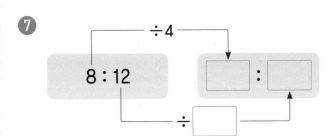

⑩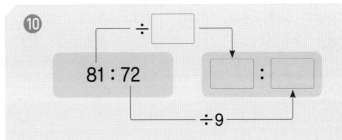

⑧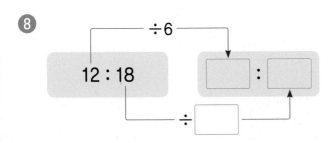

⑪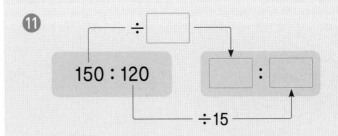

⑨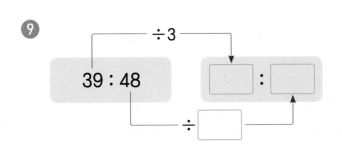

⑫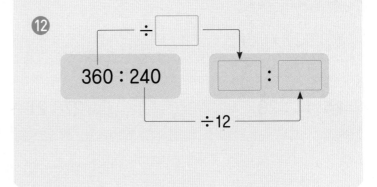

전항과 후항을 각각 **두 수의**
최대공약수로 나눠!

● **18 : 12를 가장 간단한 자연수의 비로 나타내기**

18 : 12 ⇨ (18÷6) : (12÷6)
⇨ 3 : 2 ← 각 항을 18과 12의
최대공약수 6으로 나누기

○ 가장 간단한 자연수의 비로 나타내어 보시오.

① 3 : 9

② 5 : 10

③ 8 : 12

④ 10 : 6

⑤ 14 : 28

⑥ 16 : 12

⑦ 18 : 15

⑧ 20 : 25

⑨ 24 : 18

⑩ 27 : 21

⑪ 30 : 6

⑫ 33 : 11

⑬ 36 : 63

⑭ 40 : 28

⑮ 42 : 30

⑯ 44 : 16

㉓ 69 : 24

㉚ 100 : 75

⑰ 45 : 25

㉔ 72 : 81

㉛ 128 : 80

⑱ 48 : 54

㉕ 76 : 40

㉜ 150 : 120

⑲ 52 : 68

㉖ 84 : 48

㉝ 240 : 108

⑳ 54 : 45

㉗ 88 : 55

㉞ 256 : 96

㉑ 56 : 70

㉘ 93 : 36

㉟ 300 : 90

㉒ 63 : 42

㉙ 98 : 42

㊱ 324 : 252

4 소수의 비를 간단한 자연수의 비로 나타내기

전항과 후항에 각각 **10, 100, 1000······을 곱해!**

↓

전항과 후항을 각각 **두 수의 최대공약수로 나눠!**

- 0.4 : 0.6을 가장 간단한 자연수의 비로 나타내기

$0.4 : 0.6 \Rightarrow (0.4 \times 10) : (0.6 \times 10)$

$\Rightarrow 4 : 6$ ← 0.4와 0.6이 소수 한 자리 수 이므로 각 항에 10을 곱하기

$\Rightarrow (4 \div 2) : (6 \div 2)$

$\Rightarrow 2 : 3$ ← 각 항을 4와 6의 최대공약수 2로 나누기

○ 가장 간단한 자연수의 비로 나타내어 보시오.

❶ 0.2 : 0.3

❷ 0.5 : 0.7

❸ 0.6 : 1.2

❹ 1.5 : 0.9

❺ 1.6 : 2.8

❻ 2.1 : 0.7

❼ 2.4 : 1.8

❽ 2.7 : 1.5

❾ 3.2 : 1.2

❿ 4.8 : 5.6

⓫ 0.05 : 0.08

⓬ 0.14 : 0.07

⓭ 0.18 : 0.42

⓮ 0.28 : 0.12

⓯ 0.35 : 0.28

⑯ 0.48 : 1.04

⑰ 0.63 : 2.16

⑱ 0.72 : 1.28

⑲ 0.85 : 1.45

⑳ 1.28 : 1.68

㉑ 1.56 : 0.72

㉒ 2.16 : 1.88

㉓ 0.2 : 0.15

㉔ 0.31 : 0.5

㉕ 0.4 : 0.11

㉖ 0.52 : 0.2

㉗ 0.6 : 0.15

㉘ 0.72 : 0.3

㉙ 0.8 : 0.24

㉚ 1.08 : 0.6

㉛ 1.25 : 0.3

㉜ 1.4 : 0.49

㉝ 2.04 : 0.9

㉞ 2.4 : 1.28

㉟ 3.28 : 1.2

㊱ 4.5 : 1.95

전항과 후항에 각각 **두 분모의**
최소공배수를 곱해!

↓

전항과 후항을 각각 **두 수의**
최대공약수로 나눠!

• $\frac{2}{3} : \frac{4}{5}$ 를 가장 간단한 자연수의 비로 나타내기

$\frac{2}{3} : \frac{4}{5}$ ⇨ $(\frac{2}{3} \times 15) : (\frac{4}{5} \times 15)$

⇨ $10 : 12$ ← 각 항에 두 분모 3과 5의 최소공배수 15를 곱하기

⇨ $(10 \div 2) : (12 \div 2)$

⇨ $5 : 6$ ← 각 항을 10과 12의 최대공약수 2로 나누기

참고 비에서 분수가 대분수일 때는 먼저 대분수를 가분수로 나타냅니다.

○ 가장 간단한 자연수의 비로 나타내어 보시오.

1 $\frac{1}{2} : \frac{1}{3}$

2 $\frac{3}{4} : \frac{5}{8}$

3 $\frac{2}{5} : \frac{8}{9}$

4 $\frac{1}{6} : \frac{3}{8}$

5 $\frac{5}{8} : \frac{10}{13}$

6 $\frac{4}{11} : \frac{8}{9}$

7 $\frac{9}{14} : \frac{3}{10}$

8 $\frac{10}{21} : \frac{5}{14}$

9 $1\frac{1}{2} : 1\frac{3}{4}$

10 $1\frac{1}{4} : 1\frac{1}{6}$

11 $1\frac{4}{5} : 2\frac{4}{7}$

12 $1\frac{7}{8} : 2\frac{1}{4}$

⑬ $2\dfrac{2}{9} : 1\dfrac{3}{5}$

⑭ $1\dfrac{3}{10} : 1\dfrac{2}{5}$

⑮ $1\dfrac{2}{13} : 2\dfrac{1}{2}$

⑯ $1\dfrac{1}{14} : 1\dfrac{3}{7}$

⑰ $1\dfrac{1}{24} : 1\dfrac{2}{3}$

⑱ $1\dfrac{3}{25} : 2\dfrac{1}{10}$

⑲ $\dfrac{1}{2} : 1\dfrac{5}{6}$

⑳ $2\dfrac{1}{3} : \dfrac{7}{8}$

㉑ $\dfrac{3}{4} : 2\dfrac{7}{10}$

㉒ $1\dfrac{3}{5} : \dfrac{2}{9}$

㉓ $\dfrac{2}{7} : 1\dfrac{1}{3}$

㉔ $2\dfrac{2}{9} : \dfrac{5}{6}$

㉕ $\dfrac{7}{12} : 1\dfrac{1}{4}$

㉖ $1\dfrac{1}{15} : \dfrac{4}{9}$

㉗ $\dfrac{15}{16} : 1\dfrac{1}{8}$

㉘ $1\dfrac{1}{17} : \dfrac{3}{4}$

㉙ $\dfrac{9}{20} : 2\dfrac{2}{5}$

㉚ $1\dfrac{1}{27} : \dfrac{7}{18}$

분수를 소수로 바꾸거나
소수를 분수로 바꾼 후
간단한 자연수의 비로 나타내!

• $0.6 : \dfrac{1}{2}$ 을 가장 간단한 자연수의 비로 나타내기

방법 1 분수를 소수로 바꾸기

$$0.6 : \dfrac{1}{2} \Rightarrow 0.6 : 0.5$$

$$\Rightarrow (0.6 \times 10) : (0.5 \times 10)$$

$$\Rightarrow 6 : 5 \quad \bullet\ 0.6과 0.5가 소수 한 자리 수$$
이므로 각 항에 10을 곱하기

방법 2 소수를 분수로 바꾸기

$$0.6 : \dfrac{1}{2} \Rightarrow \dfrac{6}{10} : \dfrac{1}{2}$$

$$\Rightarrow (\dfrac{6}{10} \times 10) : (\dfrac{1}{2} \times 10)$$

$$\Rightarrow 6 : 5 \quad \bullet\ 각\ 항에\ 두\ 분모\ 10과\ 2의$$
최소공배수 10을 곱하기

○ 가장 간단한 자연수의 비로 나타내어 보시오.

1 $0.2 : \dfrac{5}{10}$

2 $0.3 : \dfrac{1}{5}$

3 $0.45 : \dfrac{1}{4}$

4 $0.52 : \dfrac{3}{5}$

5 $0.8 : \dfrac{2}{3}$

6 $0.9 : 1\dfrac{1}{2}$

7 $1.25 : \dfrac{3}{20}$

8 $1.44 : 1\dfrac{4}{50}$

9 $1.5 : \dfrac{5}{6}$

10 $2.25 : 1\dfrac{3}{4}$

11 $2.4 : 2\dfrac{7}{10}$

12 $2.88 : 1\dfrac{8}{25}$

⑬ $\dfrac{1}{2} : 0.3$

⑭ $\dfrac{1}{3} : 0.4$

⑮ $\dfrac{3}{4} : 1.2$

⑯ $\dfrac{2}{5} : 0.72$

⑰ $\dfrac{5}{7} : 0.5$

⑱ $\dfrac{3}{8} : 1.25$

⑲ $\dfrac{7}{10} : 1.4$

⑳ $\dfrac{8}{15} : 0.2$

㉑ $\dfrac{9}{20} : 2.07$

㉒ $\dfrac{12}{25} : 1.68$

㉓ $\dfrac{7}{40} : 1.05$

㉔ $\dfrac{39}{50} : 1.26$

㉕ $1\dfrac{1}{5} : 0.4$

㉖ $1\dfrac{5}{6} : 0.5$

㉗ $1\dfrac{7}{9} : 0.8$

㉘ $2\dfrac{5}{14} : 1.5$

㉙ $1\dfrac{7}{20} : 1.8$

㉚ $2\dfrac{4}{25} : 1.62$

● 비례식

비례식: 비율이 같은 두 비를 기호 '='를
사용하여 나타낸 식

$2 : 3$ (비율) $\dfrac{2}{3}$

$4 : 6$ (비율) $\dfrac{4}{6} = \dfrac{2}{3}$

⇨ (비례식) $2 : 3 = 4 : 6$

● 비례식의 항

외항 → 비례식에서 바깥쪽에 있는 두 수

$2 : 3 = 4 : 6$

내항 → 비례식에서 안쪽에 있는 두 수

비율이 같은 두 비를
기호 '='를 사용하여 나타낸 식
→ 비례식

○ 주어진 비와 비율이 같은 비를 찾아 비례식으로 나타내어 보시오.

①

| 4 : 8 | 3 : 9 | 6 : 2 |

$1 : 3 = \boxed{} : \boxed{}$

②

| 5 : 2 | 6 : 10 | 4 : 10 |

$2 : 5 = \boxed{} : \boxed{}$

③

| 6 : 14 | 5 : 15 | 4 : 14 |

$3 : 7 = \boxed{} : \boxed{}$

④

| 10 : 25 | 8 : 15 | 12 : 10 |

$6 : 5 = \boxed{} : \boxed{}$

⑤

| 16 : 9 | 14 : 6 | 21 : 12 |

$7 : 3 = \boxed{} : \boxed{}$

⑥

| 2 : 3 | 3 : 4 | 12 : 9 |

$8 : 6 = \boxed{} : \boxed{}$

⑦

| 27 : 8 | 36 : 16 | 3 : 2 |

$9 : 4 = \boxed{} : \boxed{}$

⑧

| 5 : 4 | 20 : 14 | 15 : 10 |

$10 : 8 = \boxed{} : \boxed{}$

⑨
10 : 12   5 : 7   18 : 21

12 : 14 = ☐ : ☐

⑮
42 : 20   5 : 7   14 : 10

21 : 15 = ☐ : ☐

⑩
4 : 5   26 : 20   36 : 15

13 : 10 = ☐ : ☐

⑯
18 : 15   10 : 12   8 : 6

24 : 20 = ☐ : ☐

⑪
5 : 3   20 : 15   10 : 8

15 : 9 = ☐ : ☐

⑰
10 : 4   20 : 6   15 : 20

25 : 10 = ☐ : ☐

⑫
8 : 12   12 : 15   5 : 4

16 : 20 = ☐ : ☐

⑱
9 : 6   15 : 5   12 : 3

27 : 9 = ☐ : ☐

⑬
10 : 5   4 : 6   20 : 8

18 : 9 = ☐ : ☐

⑲
21 : 10   12 : 6   14 : 8

28 : 16 = ☐ : ☐

⑭
12 : 9   8 : 5   16 : 10

20 : 15 = ☐ : ☐

⑳
20 : 12   15 : 6   10 : 8

30 : 18 = ☐ : ☐

■ : ▲ = ● : ★

➡ ■ × ★ = ▲ × ●

● 비례식의 성질

비례식에서 외항의 곱과 내항의 곱은 같습니다.

외항의 곱 ◀— $3 \times 10 = 30$

$$3 : 5 = 6 : 10$$

내항의 곱 ◀— $5 \times 6 = 30$

● 비례식에서 ☐의 값 구하기

'비례식에서 외항의 곱과 내항의 곱은 같습니다.'를 이용하여 ☐의 값을 구합니다.

$4 : 3 = 8 : \square$

$\Rightarrow 4 \times \square = 3 \times 8,\ 4 \times \square = 24,\ \square = 6$

○ 비례식의 성질을 이용하여 ☐ 안에 알맞은 수를 써넣으시오.

❶ $1 : 2 = 3 : \boxed{}$

❷ $4 : 5 = \boxed{} : 10$

❸ $10 : 4 = 15 : \boxed{}$

❹ $15 : 9 = \boxed{} : 3$

❺ $24 : 32 = 6 : \boxed{}$

❻ $30 : \boxed{} = 20 : 4$

❼ $\boxed{} : 14 = 21 : 6$

❽ $72 : \boxed{} = 24 : 9$

❾ $\boxed{} : 24 = 15 : 4$

❿ $150 : \boxed{} = 5 : 7$

⑪ $0.6 : 0.4 = 3 : \boxed{}$

⑫ $1.5 : 1.2 = \boxed{} : 4$

⑬ $\boxed{} : 2.4 = 6 : 9$

⑭ $2.7 : \boxed{} = 9 : 12$

⑮ $\boxed{} : 10 = 2.1 : 1.5$

⑯ $18 : \boxed{} = 2.7 : 1.2$

⑰ $28 : 36 = 3.5 : \boxed{}$

⑱ $\dfrac{2}{3} : \dfrac{5}{6} = 12 : \boxed{}$

⑲ $\dfrac{3}{5} : \dfrac{6}{7} = \boxed{} : 10$

⑳ $\boxed{} : \dfrac{3}{10} = 40 : 16$

㉑ $\dfrac{4}{9} : \boxed{} = 32 : 45$

㉒ $14 : \boxed{} = 2\dfrac{1}{3} : 2\dfrac{1}{2}$

㉓ $30 : 20 = \dfrac{1}{4} : \boxed{}$

㉔ $\boxed{} : 25 = 1\dfrac{3}{5} : \dfrac{5}{9}$

9 비례배분

전체를 주어진 **비로 배분**하는 것

→ **비례배분**

●를 ■ : ▲로 나누기

→ ● × $\dfrac{■}{■+▲}$, ● × $\dfrac{▲}{■+▲}$

● 비례배분

비례배분: 전체를 주어진 비로 배분하는 것

예 8을 3 : 1로 나누기

· $8 \times \dfrac{3}{3+1} = 8 \times \dfrac{3}{4} = 6$

· $8 \times \dfrac{1}{3+1} = 8 \times \dfrac{1}{4} = 2$

○ ⬜ 안의 수를 주어진 비로 나누어 [,] 안에 써 보시오.

❶ ⬜ 4   1 : 3 ⇨ [,   ]

❷ ⬜ 6   2 : 1 ⇨ [,   ]

❸ ⬜ 9   1 : 2 ⇨ [,   ]

❹ ⬜ 10   4 : 1 ⇨ [,   ]

❺ ⬜ 14   3 : 4 ⇨ [,   ]

❻ ⬜ 15   2 : 3 ⇨ [,   ]

❼ ⬜ 16   3 : 5 ⇨ [,   ]

❽ ⬜ 21   5 : 2 ⇨ [,   ]

❾ ⬜ 24   1 : 7 ⇨ [,   ]

❿ ⬜ 25   3 : 2 ⇨ [,   ]

⑪ 26   6 : 7 ⇨ [,   ]

⑫ 28   3 : 1 ⇨ [,   ]

⑬ 32   5 : 3 ⇨ [,   ]

⑭ 42   1 : 5 ⇨ [,   ]

⑮ 54   5 : 4 ⇨ [,   ]

⑯ 63   4 : 3 ⇨ [,   ]

⑰ 75   8 : 7 ⇨ [,   ]

⑱ 84   9 : 5 ⇨ [,   ]

⑲ 96   11 : 5 ⇨ [,   ]

⑳ 108   2 : 7 ⇨ [,   ]

㉑ 121   8 : 3 ⇨ [,   ]

㉒ 156   7 : 5 ⇨ [,   ]

㉓ 189   15 : 6 ⇨ [,   ]

㉔ 240   9 : 3 ⇨ [,   ]

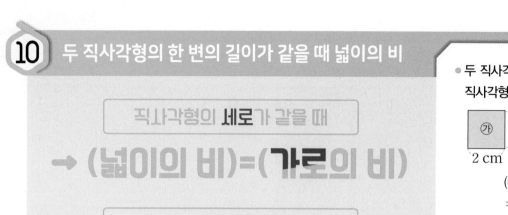

직사각형의 **세로**가 같을 때

➡ (넓이의 비)=(**가로의 비**)

직사각형의 **가로**가 같을 때

➡ (넓이의 비)=(**세로의 비**)

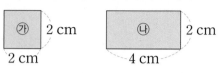

● 두 직사각형의 세로가 같을 때,
직사각형 ㉮와 ㉯의 넓이의 비 구하기

(㉮의 넓이) : (㉯의 넓이)
=(㉮의 가로) : (㉯의 가로)
=2 : 4=1 : 2

참고 (㉮의 넓이) : (㉯의 넓이)=1 : 2 ⎤
(㉮의 가로) : (㉯의 가로)=2 : 4=1 : 2 ⎦ 같습니다.

○ 두 직사각형 ㉮와 ㉯의 넓이의 비를 가장 간단한 자연수의 비로 나타내어 보시오.

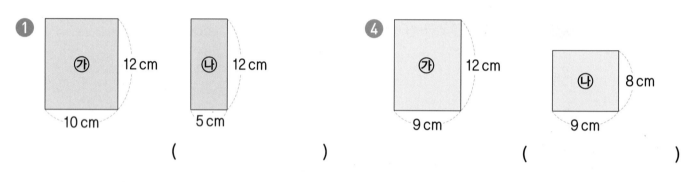

❶
㉮ 12 cm / 10 cm   ㉯ 12 cm / 5 cm
( )

❹
㉮ 12 cm / 9 cm   ㉯ 8 cm / 9 cm
( )

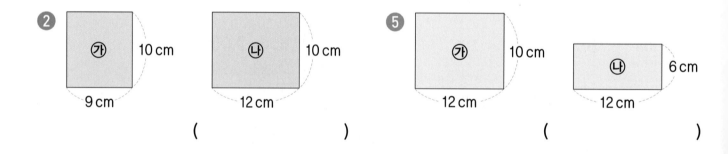

❷
㉮ 10 cm / 9 cm   ㉯ 10 cm / 12 cm
( )

❺
㉮ 10 cm / 12 cm   ㉯ 6 cm / 12 cm
( )

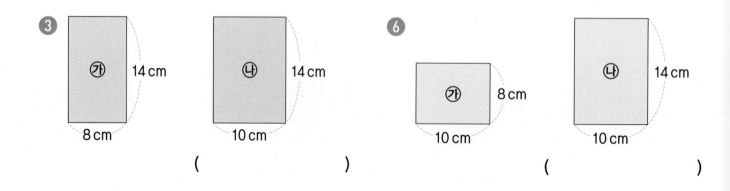

❸
㉮ 14 cm / 8 cm   ㉯ 14 cm / 10 cm
( )

❻
㉮ 8 cm / 10 cm   ㉯ 14 cm / 10 cm
( )

11 두 정사각형의 넓이의 비

● 두 정사각형 ㉮와 ㉯의 넓이의 비 구하기

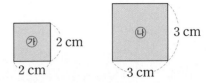

(㉮의 넓이) : (㉯의 넓이)
= (2×2) : (3×3) = 4 : 9

두 정사각형의
한 변의 길이의 비가 ■ : ▲일 때

두 **정사각형의 넓이의 비**
→ (■×■) : (▲×▲)

○ 두 정사각형 ㉮와 ㉯의 넓이의 비를 가장 간단한 자연수의 비로 나타내어 보시오.

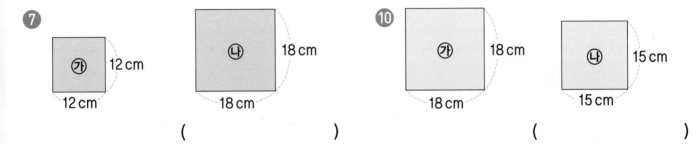

7 ㉮ 12 cm / 12 cm ㉯ 18 cm / 18 cm

( )

10 ㉮ 18 cm / 18 cm ㉯ 15 cm / 15 cm

( )

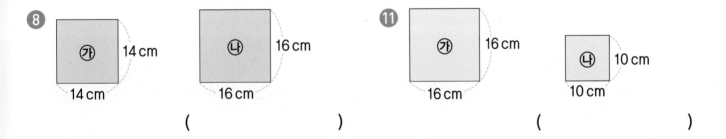

8 ㉮ 14 cm / 14 cm ㉯ 16 cm / 16 cm

( )

11 ㉮ 16 cm / 16 cm ㉯ 10 cm / 10 cm

( )

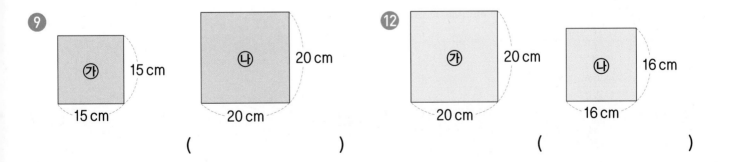

9 ㉮ 15 cm / 15 cm ㉯ 20 cm / 20 cm

( )

12 ㉮ 20 cm / 20 cm ㉯ 16 cm / 16 cm

( )

12 전항(후항)과 비율을 알 때 후항(전항)을 구하기

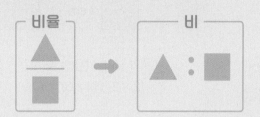

● 전항이 2이고 비율이 $\frac{1}{4}$인 비의 후항 구하기

후항을 ☐라 하여 비로 나타내기 → 2 : ☐

비율이 $\frac{1}{4}$인 비 → 1 : 4

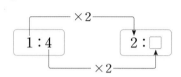

⇨ ☐＝8이므로 후항은 8입니다.

◎ 주어진 비율을 보고 비의 전항 또는 후항을 구해 보시오.

	전항	후항	비율
❶	4		$\frac{1}{3}$
❷	10		$\frac{5}{6}$
❸	27		$\frac{9}{10}$
❹	35		$\frac{7}{9}$
❺		10	$\frac{3}{5}$
❻		21	$\frac{2}{3}$
❼		32	$\frac{3}{4}$
❽		42	$\frac{2}{7}$

13 비례배분하기 전의 전체 양 구하기

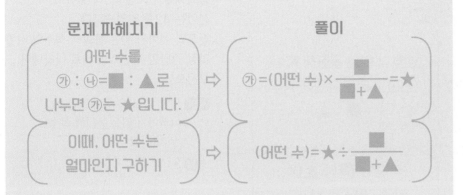

● 어떤 수를 ㉮ : ㉯＝2 : 3으로 나누면
㉮는 6입니다. 이때, 어떤 수는
얼마인지 구하기

㉮는 6이므로

$㉮＝(어떤 수)×\dfrac{2}{2+3}=6,$

$(어떤 수)×\dfrac{2}{5}=6$

$⇨ (어떤 수)=6÷\dfrac{2}{5}=15$

◎ 어떤 수를 구해 보시오.

9 어떤 수를 ㉮ : ㉯＝1 : 2로 나누면 ㉮는 3입니다.

(   )

10 어떤 수를 ㉮ : ㉯＝3 : 4로 나누면 ㉮는 6입니다.

(   )

11 어떤 수를 ㉮ : ㉯＝7 : 2로 나누면 ㉮는 28입니다.

(   )

12 어떤 수를 ㉮ : ㉯＝4 : 9로 나누면 ㉮는 20입니다.

(   )

13 어떤 수를 ㉮ : ㉯＝5 : 11로 나누면 ㉮는 35입니다.

(   )

● 문제를 읽고 해결하기

동화책을 진호는 48쪽 읽었고,
선아는 42쪽 읽었습니다.
진호와 선아가 읽은 동화책 쪽수의 비를
가장 간단한 자연수의 비로 나타내어
보시오.

풀이 (진호가 읽은 동화책 쪽수)
: (선아가 읽은 동화책 쪽수)
$=48:42=8:7$

답 $8:7$

문제 파헤치기	풀이
동화책을 진호는 ■쪽 읽었고, 선아는 ▲쪽 읽었습니다. 진호와 선아가 읽은 동화책 쪽수의 비를	(진호가 읽은 동화책 쪽수) : (선아가 읽은 동화책 쪽수) $=$ ■ : ▲
가장 간단한 자연수의 비로 나타내어 보시오.	각 항을 ■와 ▲의 최대공약수로 나누기

① 색종이를 나연이는 35장 가지고 있고, 준우는 40장 가지고 있습니다.
나연이와 준우가 가지고 있는 색종이 수의 비를
가장 간단한 자연수의 비로 나타내어 보시오.

✎ 풀이 공간

(나연이가 가지고 있는 색종이 수) : (준우가 가지고 있는 색종이 수)
$=35:\boxed{}=7:\boxed{}$

답 : _____

② 유라가 화단의 $\dfrac{2}{5}$에는 장미를 심었고, $\dfrac{1}{4}$에는 해바라기를 심었습니다.
장미와 해바라기를 심은 부분의 넓이의 비를
가장 간단한 자연수의 비로 나타내어 보시오.

(장미를 심은 부분의 넓이) : (해바라기를 심은 부분의 넓이)
$=\dfrac{2}{5}:\boxed{}=8:\boxed{}$

답 : _____

③ 체험 농장에서 귤을 민재는 64개 땄고, 수빈이는 48개 땄습니다.
민재와 수빈이가 딴 귤의 수의 비를
가장 간단한 자연수의 비로 나타내어 보시오.

답 : _____

④ 시후네 집에서 지하철역까지의 거리는 1.2 km이고,
버스 정류장까지의 거리는 0.8 km입니다.
시후네 집에서 지하철역과 버스 정류장까지의 거리의 비를
가장 간단한 자연수의 비로 나타내어 보시오.

답 : _____

⑤ 우유를 예지는 $\frac{3}{8}$ L 마셨고, 혁진이는 0.3 L 마셨습니다.
예지와 혁진이가 마신 우유의 양의 비를
가장 간단한 자연수의 비로 나타내어 보시오.

답 : _____

문제 파헤치기

복사기로 ●초에 ▲장을 복사할 수 있습니다.

⇨

★장을 복사하려면 시간이 몇 초 걸립니까?

⇨

풀이

(걸리는 시간) : (장수)
=● : ▲

★장을 복사하는 데 걸리는 시간을 ■초라 하면
'● : ▲ = ■ : ★'에서 ■의 값 구하기

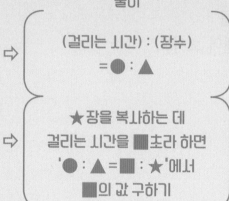

● 문제를 읽고 해결하기

복사기로 5초에 4장을 복사할 수 있습니다. 20장을 복사하려면 시간이 몇 초 걸립니까?

풀이 20장을 복사하는 데 걸리는 시간을 ☐초라 하면 $5 : 4 =$ ☐ $: 20$입니다.

⇨ $5 \times 20 = 4 \times$ ☐, $4 \times$ ☐ $= 100$, ☐ $= 25$

따라서 20장을 복사하는 데 25초 걸립니다.

답 25초

① 고춧가루와 새우젓을 8 : 2로 섞어서 김치 양념을 만들려고 합니다.
김치 양념에 고춧가루를 16컵 넣었다면 새우젓은 몇 컵 넣어야 합니까?

✎ 풀이 공간

김치 양념에 고춧가루를 16컵 넣을 때

넣어야 할 새우젓의 양을 ■컵이라 하면 $8 : 2 =$ ☐ $:$ ■입니다.

⇨ $8 \times$ ■ $= 2 \times$ ☐, $8 \times$ ■ $=$ ☐, ■ $=$ ☐

따라서 고춧가루를 16컵 넣었다면 새우젓은 ☐ 컵 넣어야 합니다.

답 :

② 일정한 빠르기로 5분에 4 km를 가는 오토바이가 있습니다.
이 오토바이가 12 km를 가는 데 몇 분이 걸립니까?

오토바이가 12 km를 가는 데 걸리는 시간을 ■분이라 하면

$5 : 4 =$ ■ $:$ ☐ 입니다.

⇨ $5 \times$ ☐ $= 4 \times$ ■, $4 \times$ ■ $=$ ☐, ■ $=$ ☐

따라서 오토바이가 12 km를 가는 데 ☐ 분이 걸립니다.

답 :

❸ 빵을 만드는 데 밀가루와 설탕을 5 : 2로 넣으려고 합니다.
밀가루를 100 g 넣었다면 설탕은 몇 g 넣어야 합니까?

답 : _____

❹ 꽃 모양을 2송이 만드는 데 철사가 30 cm 필요합니다.
철사 90 cm로 꽃 모양을 몇 송이 만들 수 있습니까?

답 : _____

❺ 900 mL짜리 우유 2통은 4600원입니다.
이 우유를 6통 사려면 얼마가 필요합니까?

답 : _____

16 비례배분 문장제

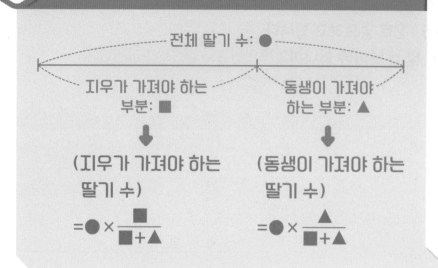

● 문제를 읽고 해결하기

딸기 20개를 지우와 동생이 3 : 2로 나누어 가지려고 합니다. 지우와 동생이 가져야 하는 딸기는 각각 몇 개입니까?

풀이 (지우가 가져야 하는 딸기 수)

$$=20 \times \frac{3}{3+2} = 12(개)$$

(동생이 가져야 하는 딸기 수)

$$=20 \times \frac{2}{3+2} = 8(개)$$

답 지우: 12개, 동생: 8개

---

1 체험 학습에서 캔 고구마 21 kg을 주아와 인규가 4 : 3으로 나누어 가지려고 합니다. 주아와 인규가 가져야 하는 고구마는 각각 몇 kg입니까?

✎ 풀이 공간

(주아가 가져야 하는 고구마의 무게)$=21 \times \dfrac{\boxed{}}{4+3}=\boxed{}$(kg)

(인규가 가져야 하는 고구마의 무게)$=21 \times \dfrac{\boxed{}}{4+3}=\boxed{}$(kg)

주아 : _____

인규 : _____

---

2 사탕 36개를 현우와 윤서가 5 : 4로 나누어 가지려고 합니다. 현우와 윤서가 가져야 하는 사탕은 각각 몇 개입니까?

(현우가 가져야 하는 사탕 수)$=36 \times \dfrac{\boxed{}}{5+4}=\boxed{}$(개)

(윤서가 가져야 하는 사탕 수)$=36 \times \dfrac{\boxed{}}{5+4}=\boxed{}$(개)

현우 : _____

윤서 : _____

❸ 리본 108 cm를 채윤이와 보검이가 11 : 7로 나누어 가지려고 합니다.
채윤이와 보검이가 가져야 하는 리본은 각각 몇 cm입니까?

채윤 : _____

보검 : _____

❹ 20000원짜리 케이크를 사는 데 필요한 돈을 윤아와 언니가 3 : 7로 나누어 내려고 합니다.
윤아와 언니가 내야 하는 돈은 각각 얼마입니까?

윤아 : _____

언니 : _____

❺ 어느 날 낮과 밤의 길이의 비가 7 : 5라면 낮과 밤의 길이는 각각 몇 시간입니까?

낮 : _____

밤 : _____

○ 비의 성질을 이용하여 비율이 같은 비를 만들어 보시오.

1

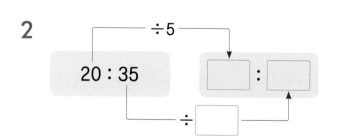

2

○ 가장 간단한 자연수의 비로 나타내어 보시오.

3 12 : 30

4 1.8 : 2.7

5 $\dfrac{5}{6} : \dfrac{7}{10}$

6 $\dfrac{2}{5} : 1.2$

○ 주어진 비와 비율이 같은 비를 찾아 비례식으로 나타내어 보시오.

7

| 10 : 21 | 8 : 14 | 2 : 3 |

4 : 7 = □ : □

8

| 20 : 15 | 5 : 2 | 10 : 6 |

15 : 9 = □ : □

○ 비례식의 성질을 이용하여 □ 안에 알맞은 수를 써넣으시오.

9 24 : 16 = 9 : □

10 1.5 : 1.2 = □ : 8

○ □ 안의 수를 주어진 비로 나누어 [,] 안에 써 보시오.

11 ⬚12   1 : 5 ⇨ [,   ]

12 ⬚27   5 : 4 ⇨ [,   ]

13 두 직사각형 ㉮와 ㉯의 넓이의 비를 가장 간단한 자연수의 비로 나타내어 보시오.

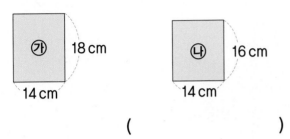

( )

14 두 정사각형 ㉮와 ㉯의 넓이의 비를 가장 간단한 자연수의 비로 나타내어 보시오.

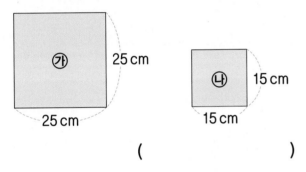

( )

○ 주어진 비율을 보고 비의 전항 또는 후항을 구해 보시오.

	전항	후항	비율
15	20		$\dfrac{4}{5}$
16		24	$\dfrac{3}{8}$

17 어떤 수를 ㉮ : ㉯ = 3 : 7로 나누면 ㉮는 21입니다. 어떤 수는 얼마입니까?

( )

18 수호네 학교 6학년은 남학생이 84명, 여학생이 72명입니다. 수호네 학교 6학년 남학생과 여학생 수의 비를 가장 간단한 자연수의 비로 나타내어 보시오.

( )

19 도넛이 4개에 2000원입니다. 이 도넛 10개를 사려면 얼마가 필요합니까?

( )

20 귤 30개를 시현이와 가온이가 2 : 3으로 나누어 가지려고 합니다. 시현이와 가온이가 가져야 하는 귤은 각각 몇 개입니까?

시현 ( )

가온 ( )

원의 넓이

1 원주와 지름의 관계

● 원주

원주: 원의 둘레

원의 둘레 → **원주**

● 원주와 지름의 관계
· 원주는 원의 지름의 3배보다 길고, 4배보다 짧습니다.
· 원의 지름이 길어지면 원주도 길어집니다.

○ 설명이 맞으면 ○표, 틀리면 ✕표 하시오.

1 원의 지름이 길어지면 원주도 길어집니다. ·····( )

2 원의 중심을 지나며 원 위의 두 점을 잇는 선분은 원의 지름입니다. ·····( )

3 원주는 원의 지름의 3배보다 짧습니다. ·····( )

4 원주의 길이에 상관없이 원의 지름은 일정합니다. ·····( )

5 원주는 원의 지름의 4배보다 짧습니다. ·····( )

② 원주율

(원주율)
=(원주)÷(지름)

- 원주율
- **원주율**: 원의 지름에 대한 원주의 비율 → • 원의 크기와 상관없이 일정합니다.

$$(원주율)＝(원주)÷(지름)$$

- 원주율을 소수로 나타내면 3.1415926535897932……와 같이 끝없이 계속됩니다.
  따라서 필요에 따라 3, 3.1, 3.14 등으로 어림하여 사용하기도 합니다.

○ (원주)÷(지름)을 반올림하여 주어진 자리까지 나타내어 보시오.

	원주(cm)	지름(cm)	(원주)÷(지름) → 반올림하여 소수 첫째 자리까지	(원주)÷(지름) → 반올림하여 소수 둘째 자리까지
⑥	6.28	2		
⑦	18.85	6		
⑧	22	7		
⑨	34.5	11		
⑩	62.8	20		
⑪	78.6	25		
⑫	94.3	30		

1일 차 학습한 날   월   일   걸린 시간   분   맞힌 개수   /12

③ 원주

(원주)

=(지름)×(원주율)

- 지름이 **2 cm**인 원의 원주 구하기 (원주율: 3.1)

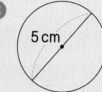

(원주)＝(지름)×(원주율)
└•(반지름)×2
＝2×3.1＝6.2(cm)

○ 원주는 몇 cm인지 구해 보시오. (원주율: 3)

①

3 cm

식 : _____

답 : _____

②

9 cm

식 : _____

답 : _____

③

5 cm

식 : _____

답 : _____

④

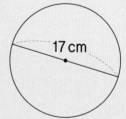

17 cm

식 : _____

답 : _____

○ 원주는 몇 cm인지 구해 보시오. (원주율: 3.1)

⑤

식 : _____

답 : _____

⑥

식 : _____

답 : _____

⑦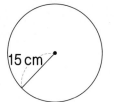

식 : _____

답 : _____

⑧

식 : _____

답 : _____

⑨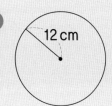

식 : _____

답 : _____

⑩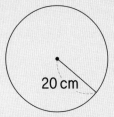

식 : _____

답 : _____

4 **원주를 이용하여 지름 구하기**

(지름)

=(원주)÷(원주율)

○ 원주가 다음과 같을 때 원의 지름은 몇 cm인지 구해 보시오. (원주율: 3.1)

1

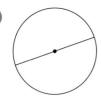

원주: 21.7 cm

식 : _____

답 : _____

2

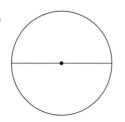

원주: 40.3 cm

식 : _____

답 : _____

3

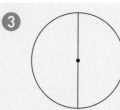

원주: 27.9 cm

식 : _____

답 : _____

4

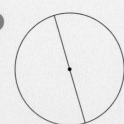

원주: 58.9 cm

식 : _____

답 : _____

○ 원주가 다음과 같을 때 원의 반지름은 몇 cm인지 구해 보시오. (원주율: 3.14)

⑤

원주: 25.12 cm

식 :

답 :

⑧

원주: 37.68 cm

식 :

답 :

⑥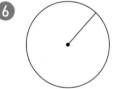

원주: 43.96 cm

식 :

답 :

⑨

원주: 62.8 cm

식 :

답 :

⑦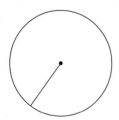

원주: 87.92 cm

식 :

답 :

⑩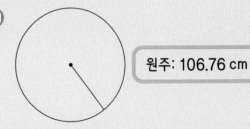

원주: 106.76 cm

식 :

답 :

5 원의 넓이

(원의 넓이)
= (반지름)×(반지름)
×(원주율)

● 반지름이 **7 cm**인 원의 넓이 구하기 (원주율: **3.14**)

(원의 넓이)＝(반지름)×(반지름)×(원주율)
＝7×7×3.14＝153.86(cm²)

참고 제곱수(같은 수를 두 번 곱하는 수)를 외워 두면 원의 넓이를 빠르게 구할 수 있습니다.

10×10＝100	14×14＝196	18×18＝324
11×11＝121	15×15＝225	19×19＝361
12×12＝144	16×16＝256	20×20＝400
13×13＝169	17×17＝289	21×21＝441

○ 원의 넓이는 몇 cm²인지 구해 보시오. (원주율: 3)

1

3 cm

식 : _____

답 : _____

3

7 cm

식 : _____

답 : _____

2

11 cm

식 : _____

답 : _____

4

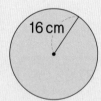

16 cm

식 : _____

답 : _____

○ 원의 반지름을 ☐ 안에 써넣고, 넓이는 몇 cm²인지 구해 보시오. (원주율: 3.14)

⑤ 반지름: ☐ cm

식 : _____

답 : _____

⑧ 반지름: ☐ cm

식 : _____

답 : _____

⑥ 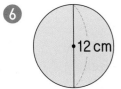 반지름: ☐ cm

식 : _____

답 : _____

⑨ 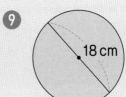 반지름: ☐ cm

식 : _____

답 : _____

⑦ 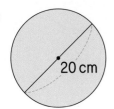 반지름: ☐ cm

식 : _____

답 : _____

⑩ 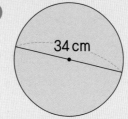 반지름: ☐ cm

식 : _____

답 : _____

지름이

2배, 3배······가 되면

원주도

2배, 3배······가 돼!

● ㉯의 원주는 ㉮의 원주의 몇 배인지 구하기

(원주율: 3.1)

㉮   ㉯

	지름	원주
㉮	2 cm	2×3.1=6.2(cm)
㉯	4 cm 〉2배	4×3.1=12.4(cm) 〉2배

⇨ ㉯의 원주는 ㉮의 원주의 2배입니다.

○ ㉯의 원주는 ㉮의 원주의 몇 배인지 구해 보시오. (원주율: 3.1)

1 ㉮   ㉯

      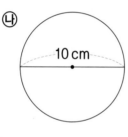

(   )

4 ㉮   ㉯

      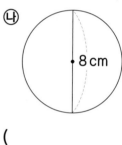

(   )

2 ㉮   ㉯

      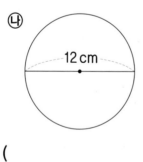

(   )

5 ㉮   ㉯

      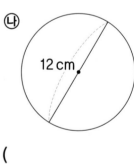

(   )

3 ㉮   ㉯

      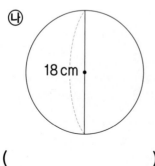

(   )

6 ㉮   ㉯

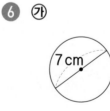   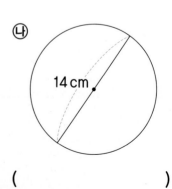

(   )

7 원의 넓이와 반지름의 관계

반지름이

2배, 3배······가 되면

원의 넓이는

4배, 9배······가 돼!
2×2   3×3

● ㉯ 원의 넓이는 ㉮ 원의 넓이의 몇 배인지 구하기 (원주율: 3)

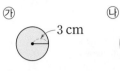
㉮ 3 cm

㉯ 6 cm

	반지름	원의 넓이
㉮	3 cm	$3 \times 3 \times 3 = 27(cm^2)$
㉯	6 cm 2배	$6 \times 6 \times 3 = 108(cm^2)$ 4배

⇨ ㉯ 원의 넓이는 ㉮ 원의 넓이의 4배입니다.

○ ㉯ 원의 넓이는 ㉮ 원의 넓이의 몇 배인지 구해 보시오. (원주율: 3)

7 ㉮ 6 cm   ㉯ 12 cm

(   )

10 ㉮ 7 cm   ㉯ 14 cm

(   )

8 ㉮ 5 cm   ㉯ 15 cm

(   )

11 ㉮ 4 cm   ㉯ 16 cm

(   )

9 ㉮ 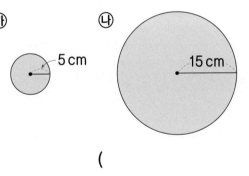 10 cm   ㉯ 20 cm

(   )

12 ㉮ 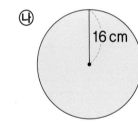 8 cm   ㉯ 24 cm

(   )

8 원이 움직인 거리 구하기

(원이 움직인 거리)

=(원주)

×(굴린 바퀴 수)

- 지름이 12 cm인 원을 2바퀴 굴렸을 때, 원이 움직인 거리 구하기 (원주율: 3.14)

(원이 움직인 거리)=(원주)×(굴린 바퀴 수)
=12×3.14×2=75.36(cm)

○ 원을 다음과 같이 몇 바퀴 굴렸을 때, 원이 움직인 거리는 몇 cm인지 구해 보시오. (원주율: 3.14)

1

식 : _____

답 : _____

4

식 : _____

답 : _____

2

식 : _____

답 : _____

5

식 : _____

답 : _____

3

식 : _____

답 : _____

6

식 : _____

답 : _____

9 원의 넓이를 이용하여 반지름 구하기

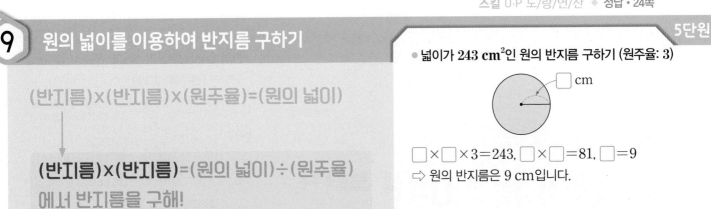

(반지름)×(반지름)×(원주율)=(원의 넓이)

↓

(반지름)×(반지름)=(원의 넓이)÷(원주율)
에서 반지름을 구해!

● 넓이가 243 cm²인 원의 반지름 구하기 (원주율: 3)

☐ cm

☐×☐×3=243, ☐×☐=81, ☐=9
⇨ 원의 반지름은 9 cm입니다.

○ 원의 넓이가 다음과 같을 때 반지름을 구해 보시오. (원주율: 3)

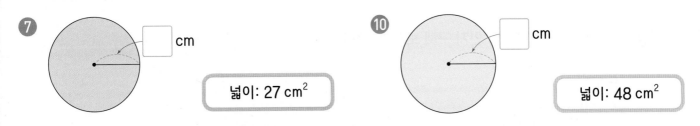

7 ☐ cm

넓이: 27 cm²

10 ☐ cm

넓이: 48 cm²

8 ☐ cm

넓이: 75 cm²

11 ☐ cm

넓이: 147 cm²

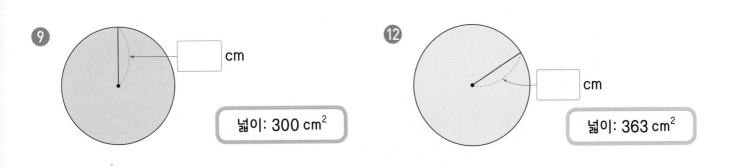

9 ☐ cm

넓이: 300 cm²

12 ☐ cm

넓이: 363 cm²

원의 일부분을 옮기거나 이어 붙여
원을 만들어 봐!

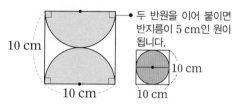

● 원의 일부분을 옮겨 색칠한 부분의 넓이 구하기 (원주율: 3.14)

두 반원을 이어 붙이면 반지름이 5 cm인 원이 됩니다.

(색칠한 부분의 넓이)
=(반지름이 5 cm인 원의 넓이)
=5×5×3.14=78.5(cm²)

○ 색칠한 부분의 넓이는 몇 cm²인지 구해 보시오. (원주율: 3.14)

1

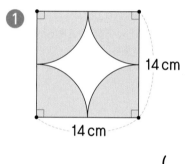

14 cm

14 cm

(   )

4

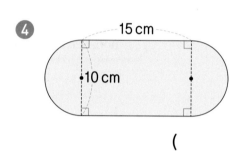

15 cm

10 cm

(   )

2

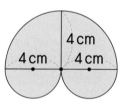

4 cm

4 cm 4 cm

(   )

5

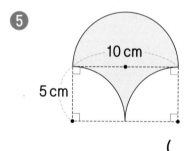

10 cm

5 cm

(   )

3

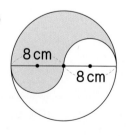

8 cm

8 cm

(   )

6

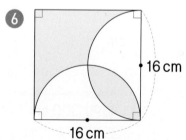

16 cm

16 cm

(   )

11 여러 가지 원의 넓이 구하기 (2)

(색칠한 부분의 넓이)
=(**전체** 도형의 넓이)
−(**색칠하지 않은** 부분의 넓이)

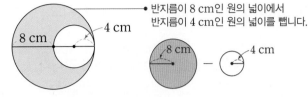

● 전체에서 부분을 빼서 색칠한 부분의 넓이 구하기

(원주율: 3.1)

반지름이 8 cm인 원의 넓이에서
반지름이 4 cm인 원의 넓이를 뺍니다.

(색칠한 부분의 넓이)
=(큰 원의 넓이)−(작은 원의 넓이)
$=8×8×3.1−4×4×3.1=148.8(cm^2)$

○ 색칠한 부분의 넓이는 몇 cm^2인지 구해 보시오. (원주율: 3.1)

7

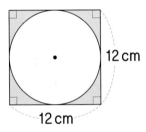

12 cm

12 cm

(   )

10

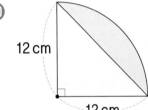

12 cm

12 cm

(   )

8

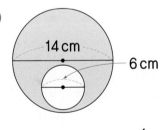

14 cm

6 cm

(   )

11

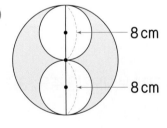

8 cm

8 cm

(   )

9

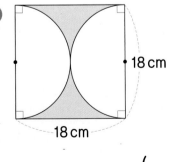

18 cm

18 cm

(   )

12

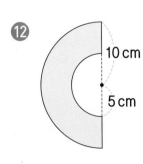

10 cm

5 cm

(   )

○ 설명이 맞으면 ○표, 틀리면 ✕표 하시오.

1

| 원주는 원의 지름보다 길이가 깁니다. |

(   )

2

| 원의 지름이 길어져도 원주는 변하지 않습니다. |

(   )

○ (원주)÷(지름)을 반올림하여 주어진 자리까지 나타내어 보시오.

원주 (cm)	지름 (cm)	(원주)÷(지름)	
		→ 소수 첫째 자리까지	→ 소수 둘째 자리까지
3 9.43	3		
4 25.1	8		

○ 원주는 몇 cm인지 구해 보시오. (원주율: 3)

5

(   )

6

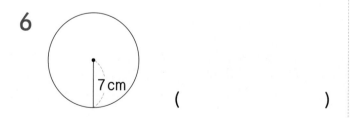

(   )

○ 원주가 다음과 같을 때 ☐ 안에 알맞은 수를 써넣으시오. (원주율: 3.14)

7

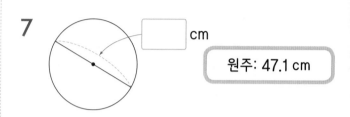 cm

원주: 47.1 cm

8

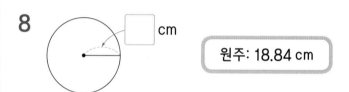 cm

원주: 18.84 cm

○ 원의 넓이는 몇 cm²인지 구해 보시오.

(원주율: 3.1)

9

(   )

10

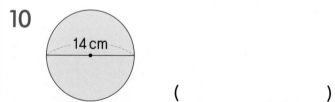

(   )

11 ㉯의 원주는 ㉮의 원주의 몇 배입니까?

(원주율: 3)

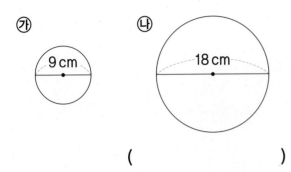

( )

12 ㉯ 원의 넓이는 ㉮ 원의 넓이의 몇 배입니까? (원주율: 3.1)

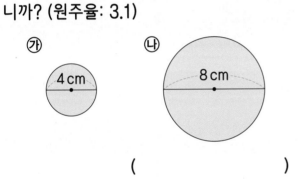

( )

13 다음과 같은 원을 3바퀴 굴렸을 때, 원이 움직인 거리는 몇 cm입니까?

(원주율: 3.14)

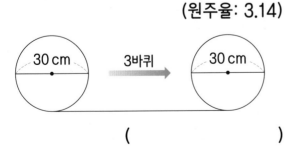

( )

○ 원의 넓이가 다음과 같을 때 반지름을 구해 보시오. (원주율: 3)

14

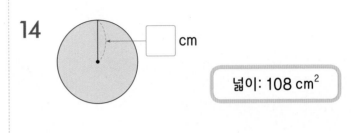

넓이: 108 cm²

15

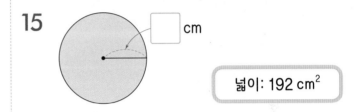

넓이: 192 cm²

○ 색칠한 부분의 넓이는 몇 cm²인지 구해 보시오.

(원주율: 3.14)

16

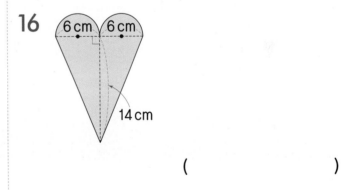

( )

17

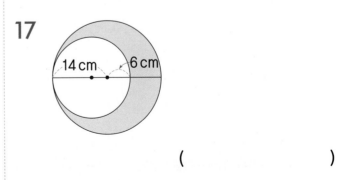

( )

원기둥, 원뿔, 구

◆ 맞힌 개수와 걸린 시간을 작성해 보세요.

위와 아래에 있는 면이 서로 **평행**하고 **합동인 원**으로 이루어진 **기둥 모양**의 입체도형 → **원기둥**

원기둥: 위와 아래에 있는 면이 서로 평행하고 합동인 원으로 이루어진 기둥 모양의 입체도형

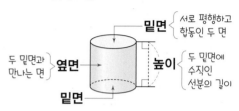

○ 원기둥을 모두 찾아 ○표 하시오.

①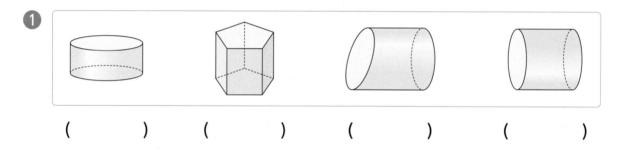

(   )   (   )   (   )   (   )

②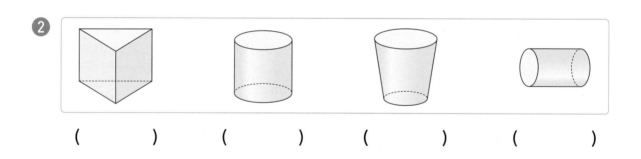

(   )   (   )   (   )   (   )

③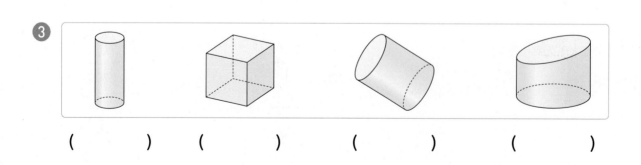

(   )   (   )   (   )   (   )

2 원기둥의 밑면의 지름과 높이

직사각형 ➡ 한 변을 기준으로 돌리기 ➡ 원기둥

(가로)=(원기둥의 밑면의 반지름)
(세로)=(원기둥의 높이)

● 한 변을 기준으로 직사각형을 돌려 만든
원기둥의 밑면의 지름과 높이 구하기

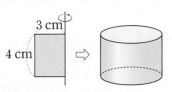

· (원기둥의 밑면의 지름)
  =(돌리기 전 직사각형의 가로)×2
  =3×2=6(cm)
· (원기둥의 높이)
  =(돌리기 전 직사각형의 세로)
  =4 cm

○ 한 변을 기준으로 직사각형 모양의 종이를 돌려 원기둥을 만들었습니다.
원기둥의 밑면의 지름과 높이는 몇 cm인지 구해 보시오.

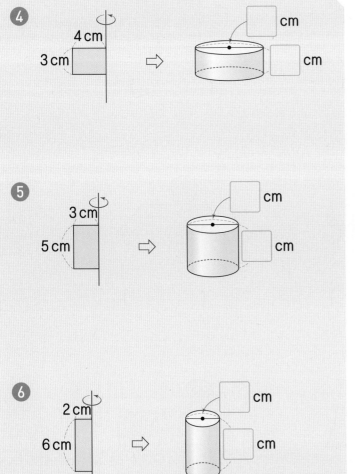

❹ 4 cm, 3 cm ➡ ☐ cm, ☐ cm

❺ 3 cm, 5 cm ➡ ☐ cm, ☐ cm

❻ 2 cm, 6 cm ➡ ☐ cm, ☐ cm

❼ 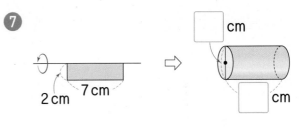 2 cm, 7 cm ➡ ☐ cm, ☐ cm

❽ 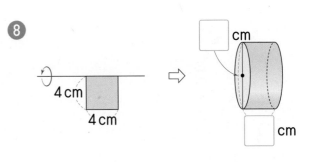 4 cm, 4 cm ➡ ☐ cm, ☐ cm

❾ 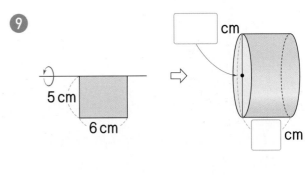 5 cm, 6 cm ➡ ☐ cm, ☐ cm

원기둥을 잘라서
펼쳐 놓은 그림
→ **원기둥의 전개도**

● 원기둥의 전개도

원기둥의 **전개도**: 원기둥을 잘라서 펼쳐 놓은 그림

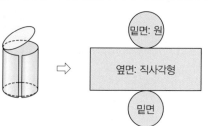

○ 원기둥을 만들 수 있는 전개도를 찾아 ○표 하시오.

①

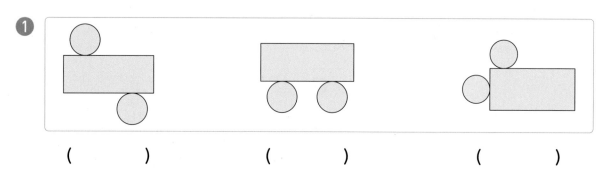

(   )　　　　(   )　　　　(   )

②

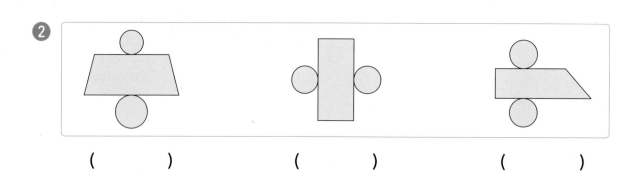

(   )　　　　(   )　　　　(   )

③

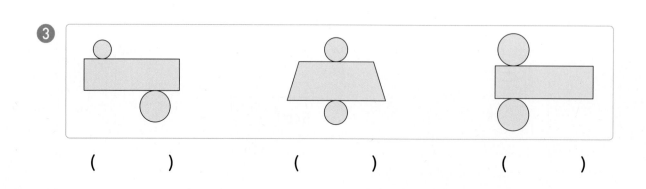

(   )　　　　(   )　　　　(   )

4 원기둥의 전개도에서 각 부분의 길이 6단원

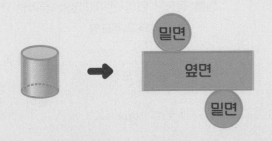

(밑면의 둘레)=(옆면의 가로)
(원기둥의 높이)=(옆면의 세로)

● 원기둥의 전개도에서 각 부분의 길이 구하기
(원주율: 3)

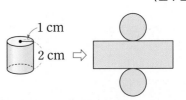

• (옆면의 가로)=(밑면의 둘레)
   =(밑면의 지름)×(원주율)
   =1×2×3=6(cm)
• (옆면의 세로)=(원기둥의 높이)=2 cm

○ 원기둥의 전개도에서 각 부분의 길이는 몇 cm인지 구해 보시오. (원주율: 3)

④
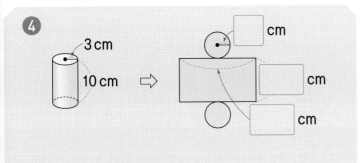

⑦
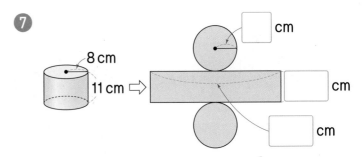

⑤
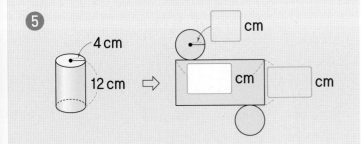

⑧
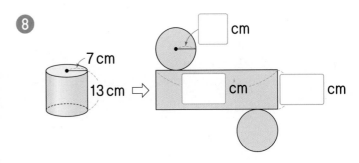

⑥
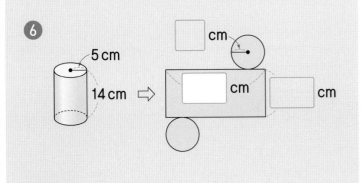

⑨
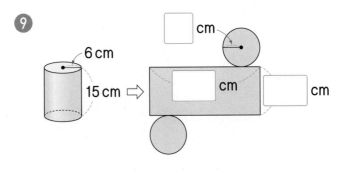

● 원뿔

원뿔: 평평한 면이 원이고 옆을 둘러싼 면이 굽은 면인 뿔 모양의 입체도형

평평한 면이 **원**이고

옆을 둘러싼 면이 **굽은 면**인

뿔 모양의 입체도형

→ **원뿔**

● 원뿔을 모두 찾아 ◯표 하시오.

①

(   )   (   )   (   )   (   )

②

(   )   (   )   (   )   (   )

③

(   )   (   )   (   )   (   )

6 원뿔의 밑면의 지름과 높이

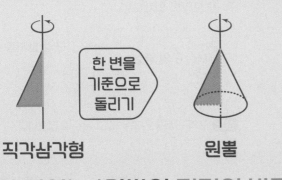

직각삼각형　　　원뿔

(밑변의 길이)=(원뿔의 밑면의 반지름)
(높이)=(원뿔의 높이)

● 한 변을 기준으로 직각삼각형을 돌려 만든
원뿔의 밑면의 지름과 높이 구하기

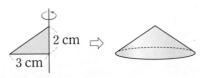

・(원뿔의 밑면의 지름)
＝(돌리기 전 직각삼각형의 밑변의 길이)×2
＝3×2＝6(cm)
・(원뿔의 높이)
＝(돌리기 전 직각삼각형의 높이)
＝2 cm

○ 한 변을 기준으로 직각삼각형 모양의 종이를 돌려 원뿔을 만들었습니다.
원뿔의 밑면의 지름과 높이는 몇 cm인지 구해 보시오.

④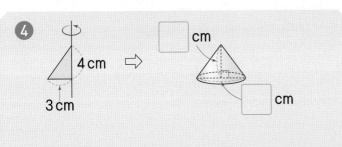

⑤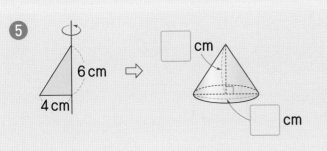

⑥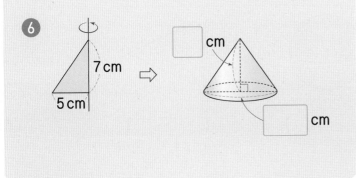

⑦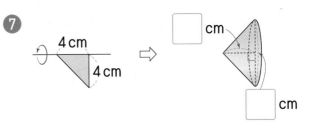

⑧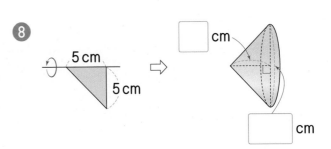

⑨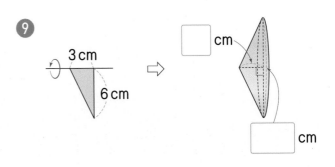

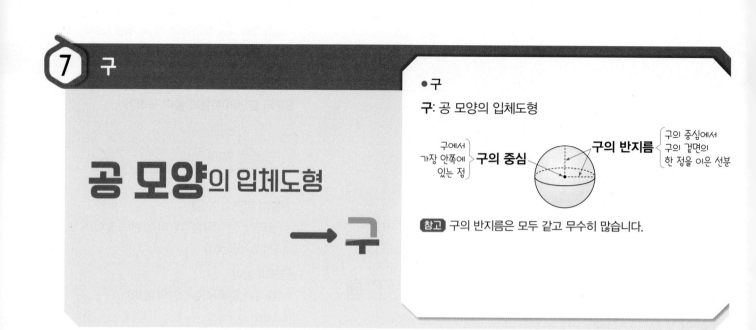

• 구

구: 공 모양의 입체도형

구에서 가장 안쪽에 있는 점 ⟩ **구의 중심**   **구의 반지름**   구의 중심에서 구의 겉면의 한 점을 이은 선분

참고 구의 반지름은 모두 같고 무수히 많습니다.

공 모양의 입체도형

→ 구

○ 구를 모두 찾아 ◯표 하시오.

1

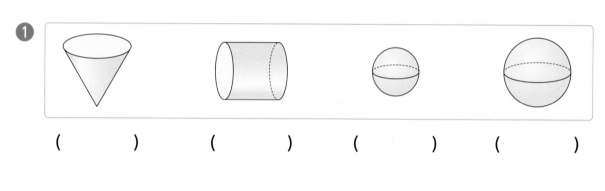

(   )   (   )   (   )   (   )

2

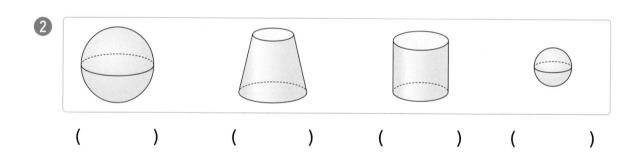

(   )   (   )   (   )   (   )

3

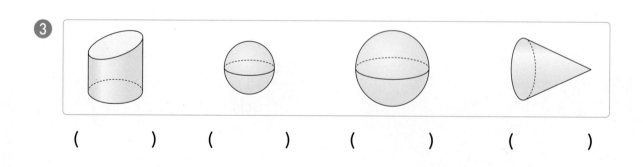

(   )   (   )   (   )   (   )

8 구의 반지름

(반원의 반지름)=(구의 반지름)

● 지름을 기준으로 반원을 돌려 만든
구의 반지름 구하기

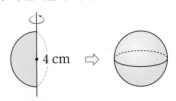

(구의 반지름)
=(돌리기 전 반원의 반지름)
=4÷2=2(cm)

○ 지름을 기준으로 반원 모양의 종이를 돌려 구를 만들었습니다.
구의 반지름은 몇 cm인지 구해 보시오.

4
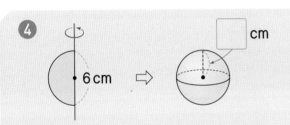

5
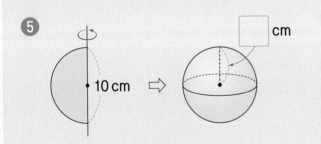

6
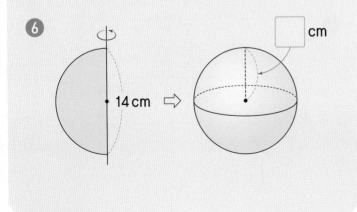

7
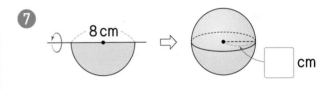

8
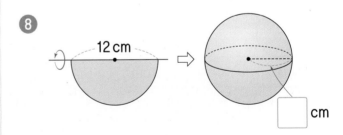

9
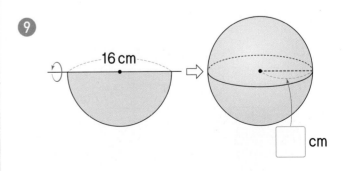

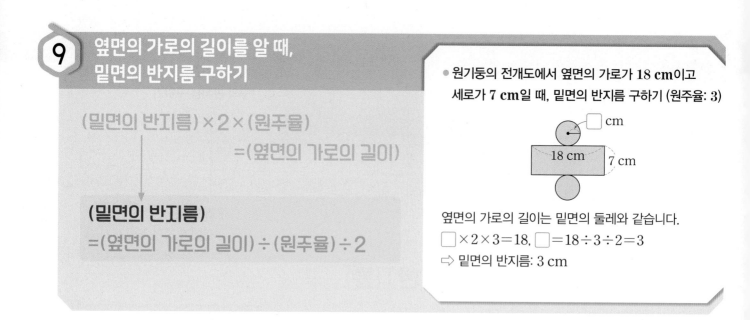

9 옆면의 가로의 길이를 알 때, 밑면의 반지름 구하기

(밑면의 반지름) × 2 × (원주율)
= (옆면의 가로의 길이)

(밑면의 반지름)
= (옆면의 가로의 길이) ÷ (원주율) ÷ 2

• 원기둥의 전개도에서 옆면의 가로가 18 cm이고 세로가 7 cm일 때, 밑면의 반지름 구하기 (원주율: 3)

옆면의 가로의 길이는 밑면의 둘레와 같습니다.
□ × 2 × 3 = 18, □ = 18 ÷ 3 ÷ 2 = 3
⇨ 밑면의 반지름: 3 cm

○ 원기둥의 전개도에서 옆면의 가로와 세로가 다음과 같을 때, 밑면의 반지름은 몇 cm인지 구해 보시오.

(원주율: 3)

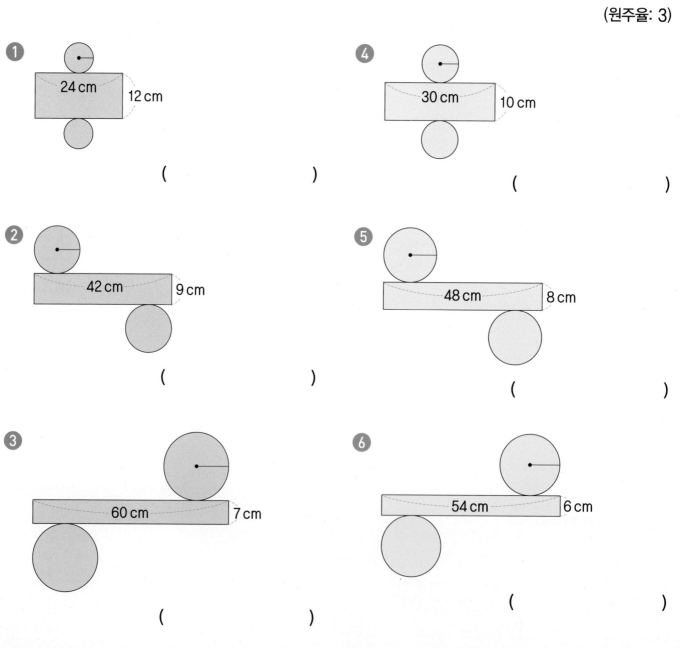

❶ 24 cm 12 cm

(   )

❷ 42 cm 9 cm

(   )

❸ 60 cm 7 cm

(   )

❹ 30 cm 10 cm

(   )

❺ 48 cm 8 cm

(   )

❻ 54 cm 6 cm

(   )

10 원기둥의 옆면의 넓이 구하기

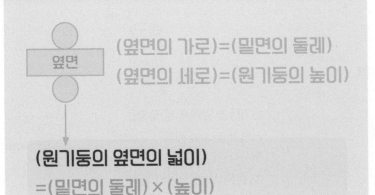

옆면

(옆면의 가로)=(밑면의 둘레)
(옆면의 세로)=(원기둥의 높이)

(원기둥의 옆면의 넓이)

=(밑면의 둘레)×(높이)

● 원기둥의 밑면의 반지름이 **6 cm**이고
   높이가 **10 cm**일 때, 옆면의 넓이 구하기 (원주율: 3.1)

- (옆면의 가로)=(밑면의 둘레)
  =6×2×3.1=37.2(cm)
- (옆면의 세로)=(원기둥의 높이)=10 cm
⇨ (옆면의 넓이)=37.2×10=372(cm²)

○ 원기둥의 밑면의 반지름과 높이가 다음과 같을 때, 옆면의 넓이는 몇 cm²인지 구해 보시오. (원주율: 3.1)

7
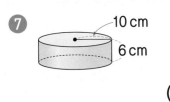
10 cm
6 cm

(   )

10
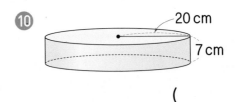
20 cm
7 cm

(   )

8
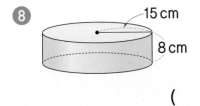
15 cm
8 cm

(   )

11
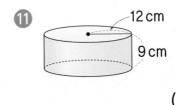
12 cm
9 cm

(   )

9
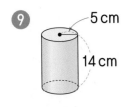
5 cm
14 cm

(   )

12
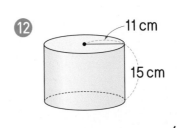
11 cm
15 cm

(   )

입체도형을 앞에서 본 모양의 넓이 구하기

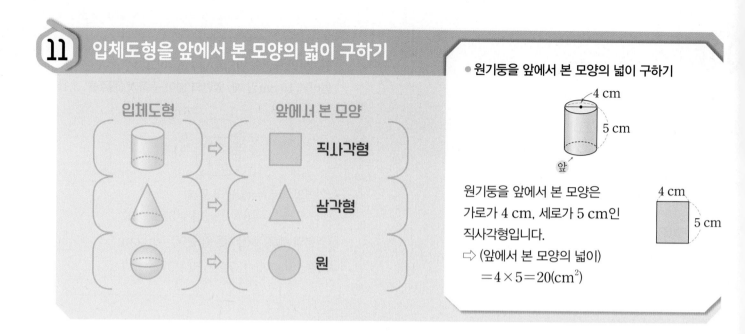

● 원기둥을 앞에서 본 모양의 넓이 구하기

원기둥을 앞에서 본 모양은
가로가 4 cm, 세로가 5 cm인
직사각형입니다.
⇨ (앞에서 본 모양의 넓이)
$= 4 \times 5 = 20 (cm^2)$

○ 입체도형을 앞에서 본 모양을 그려서 각 부분의 길이를 나타내고, 넓이는 몇 cm^2인지 구해 보시오.

(원주율: 3.1)

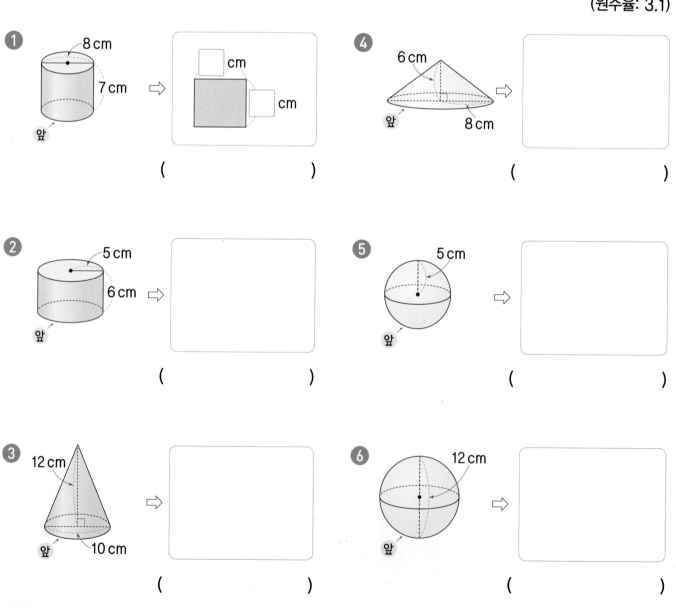

❶
8 cm
7 cm
앞
⇨ □ cm / □ cm

( )

❷
5 cm
6 cm
앞
⇨

( )

❸
12 cm
앞
10 cm
⇨

( )

❹
6 cm
앞
8 cm
⇨

( )

❺
5 cm
앞
⇨

( )

❻
12 cm
앞
⇨

( )

12 돌리기 전 평면도형의 넓이 구하기

입체도형 　 돌리기 전의 평면도형

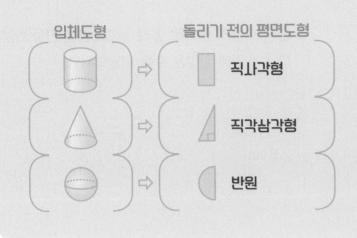

직사각형

직각삼각형

반원

● 어떤 평면도형의 한 변을 기준으로 한 바퀴 돌려 원기둥을 만들었을 때, 돌리기 전 평면도형의 넓이 구하기

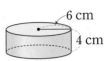

6 cm
4 cm

돌리기 전의 평면도형은 가로가 6 cm, 세로가 4 cm인 직사각형입니다.
⇨ (돌리기 전 평면도형의 넓이)
　 $=6 \times 4 = 24(\text{cm}^2)$

6 cm
4 cm

○ 어떤 평면도형의 한 변을 기준으로 한 바퀴 돌려 입체도형을 만들었습니다.
돌리기 전의 평면도형을 그려서 각 부분의 길이를 나타내고, 넓이는 몇 cm²인지 구해 보시오. (원주율: 3.1)

7
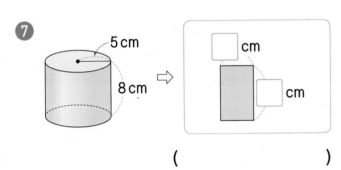

(　 　)

8
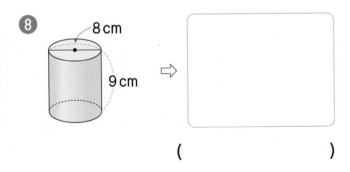

(　 　)

9
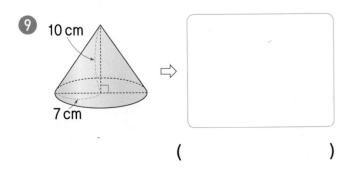

(　 　)

10
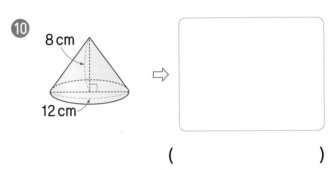

(　 　)

11
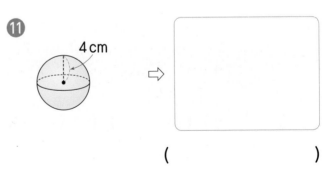

(　 　)

12
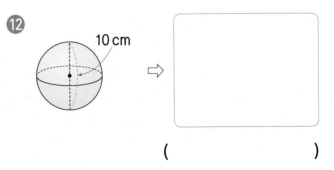

(　 　)

1 원기둥을 찾아 ◯표 하시오.

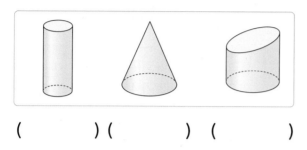

(   ) (   ) (   )

2 원기둥을 만들 수 있는 전개도를 찾아 ◯표 하시오.

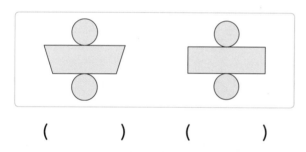

(   )   (   )

3 원뿔을 찾아 ◯표 하시오.

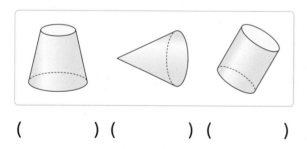

(   ) (   ) (   )

4 구를 찾아 ◯표 하시오.

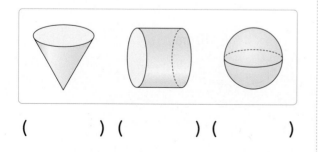

(   ) (   ) (   )

○ 왼쪽 모양의 종이를 돌려 입체도형을 만들었습니다. ☐ 안에 알맞은 수를 써넣으시오.

5

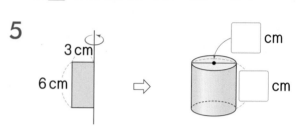

6

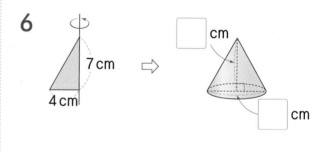

7

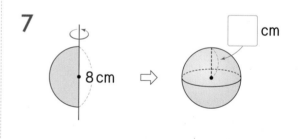

8 원기둥의 전개도에서 각 부분의 길이는 몇 cm인지 구해 보시오. (원주율: 3)

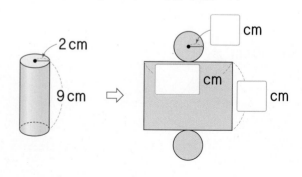

○ 원기둥의 전개도에서 옆면의 가로와 세로가 다음과 같을 때, 밑면의 반지름은 몇 cm인지 구해 보시오. (원주율: 3)

9

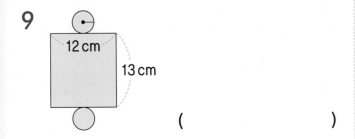

( )

10

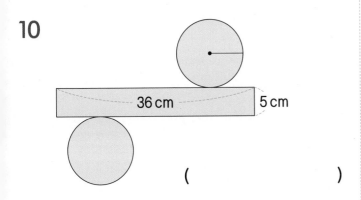

( )

○ 원기둥의 밑면의 반지름과 높이가 다음과 같을 때, 옆면의 넓이는 몇 cm²인지 구해 보시오.

(원주율: 3.1)

11

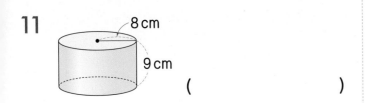

( )

12

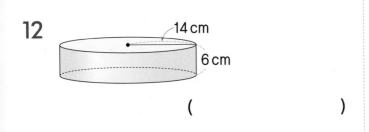

( )

○ 입체도형을 앞에서 본 모양을 그려서 각 부분의 길이를 나타내고, 넓이는 몇 cm²인지 구해 보시오. (원주율: 3.1)

13

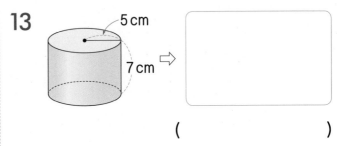

( )

14

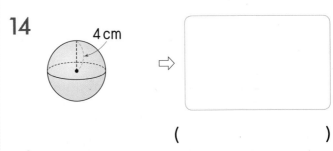

( )

○ 어떤 평면도형의 한 변을 기준으로 한 바퀴 돌려 입체도형을 만들었습니다. 돌리기 전의 평면도형을 그려서 각 부분의 길이를 나타내고, 넓이는 몇 cm²인지 구해 보시오. (원주율: 3.1)

15

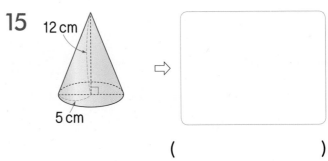

( )

16

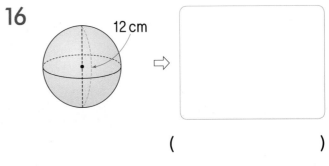

( )

개념 +연산
PLUS
파워

우리는 남다른 상상과 혁신으로
교육 문화의 새로운 전형을 만들어
모든 이의 행복한 경험과 성장에 기여한다

ABOVE IMAGINATION

우리는 남다른 상상과 혁신으로
교육 문화의 새로운 전형을 만들어
모든 이의 행복한 경험과 성장에 기여한다

개념+연산 파워

정답과 풀이

초등수학

6·2

1. 분수의 나눗셈

① 분자끼리 나누어떨어지는 분모가 같은 (진분수)÷(진분수)

8쪽

❶ 2 ❺ 2 ❾ 2
❷ 3 ❻ 3 ❿ 5
❸ 4 ❼ 4 ⓫ 2
❹ 5 ❽ 3 ⓬ 3

9쪽

⓭ 3 ⓴ 2 ㉗ 3
⓮ 2 ㉑ 4 ㉘ 7
⓯ 2 ㉒ 2 ㉙ 9
⓰ 2 ㉓ 8 ㉚ 5
⓱ 5 ㉔ 6 ㉛ 4
⓲ 3 ㉕ 2 ㉜ 3
⓳ 4 ㉖ 4 ㉝ 5

② 분자끼리 나누어떨어지지 않는 분모가 같은 (진분수)÷(진분수)

10쪽 ❶ 계산 결과를 기약분수 또는 대분수로 나타내지 않아도 정답으로 인정합니다.

❶ $\frac{1}{2}$ ❺ $1\frac{2}{3}$ ❾ $1\frac{2}{5}$
❷ $\frac{1}{3}$ ❻ $2\frac{1}{2}$ ❿ $2\frac{3}{4}$
❸ $\frac{2}{3}$ ❼ $1\frac{2}{7}$ ⓫ $1\frac{4}{9}$
❹ $\frac{5}{6}$ ❽ $1\frac{1}{9}$ ⓬ $4\frac{2}{3}$

11쪽

⓭ $\frac{3}{7}$ ⓴ $\frac{1}{2}$ ㉗ $\frac{11}{23}$
⓮ $\frac{5}{8}$ ㉑ $2\frac{3}{7}$ ㉘ $\frac{10}{13}$
⓯ $1\frac{4}{7}$ ㉒ $2\frac{2}{3}$ ㉙ $1\frac{2}{5}$
⓰ $2\frac{1}{6}$ ㉓ $1\frac{8}{17}$ ㉚ $1\frac{6}{7}$
⓱ $3\frac{2}{3}$ ㉔ $2\frac{1}{5}$ ㉛ $1\frac{8}{13}$
⓲ $2\frac{1}{2}$ ㉕ $1\frac{8}{9}$ ㉜ $2\frac{1}{4}$
⓳ $3\frac{4}{5}$ ㉖ $1\frac{1}{3}$ ㉝ $1\frac{14}{17}$

③ 분모가 다른 (진분수)÷(진분수)

12쪽 ❶ 계산 결과를 기약분수 또는 대분수로 나타내지 않아도 정답으로 인정합니다.

❶ 2 ❺ 6 ❾ $2\frac{2}{9}$
❷ 3 ❻ $1\frac{3}{5}$ ❿ $\frac{3}{7}$
❸ $3\frac{1}{3}$ ❼ 2 ⓫ 4
❹ $\frac{3}{10}$ ❽ $\frac{2}{3}$ ⓬ $3\frac{3}{4}$

13쪽

⓭ $\frac{15}{16}$ ⓴ $1\frac{1}{9}$ ㉗ 4
⓮ $1\frac{5}{9}$ ㉑ $1\frac{1}{20}$ ㉘ $\frac{25}{56}$
⓯ $1\frac{1}{27}$ ㉒ $1\frac{3}{13}$ ㉙ 6
⓰ $\frac{3}{8}$ ㉓ $\frac{25}{26}$ ㉚ $1\frac{1}{34}$
⓱ 2 ㉔ $\frac{20}{21}$ ㉛ 2
⓲ $\frac{10}{11}$ ㉕ $1\frac{3}{10}$ ㉜ $2\frac{1}{8}$
⓳ 6 ㉖ $\frac{32}{45}$ ㉝ $1\frac{7}{32}$

④ (자연수)÷(진분수)

4일차

14쪽 ❗ 계산 결과를 기약분수 또는 대분수로 나타내지 않아도 정답으로 인정합니다.

❶ 2

❷ 6

❸ 12

❹ 20

❺ 3

❻ 5

❼ $3\frac{3}{5}$

❽ 10

❾ $4\frac{2}{3}$

❿ 8

⓫ $6\frac{3}{7}$

⓬ 15

15쪽

⓭ 16

⓮ $8\frac{3}{4}$

⓯ 10

⓰ 36

⓱ $14\frac{2}{3}$

⓲ 21

⓳ $20\frac{1}{4}$

⓴ 45

㉑ 24

㉒ $18\frac{1}{3}$

㉓ 33

㉔ $22\frac{1}{2}$

㉕ $15\frac{1}{6}$

㉖ 63

㉗ $22\frac{3}{4}$

㉘ 27

㉙ $25\frac{1}{2}$

㉚ 20

㉛ $18\frac{2}{3}$

㉜ 66

㉝ $21\frac{2}{3}$

⑤ (가분수)÷(진분수)

5일차

16쪽 ❗ 계산 결과를 기약분수 또는 대분수로 나타내지 않아도 정답으로 인정합니다.

❶ $4\frac{1}{2}$

❷ $5\frac{5}{6}$

❸ $4\frac{2}{3}$

❹ $2\frac{2}{9}$

❺ 24

❻ $4\frac{2}{5}$

❼ $2\frac{1}{2}$

❽ $10\frac{1}{8}$

❾ 10

❿ $5\frac{1}{3}$

⓫ $3\frac{3}{20}$

⓬ 6

17쪽

⓭ $3\frac{1}{2}$

⓮ $2\frac{4}{9}$

⓯ $5\frac{5}{12}$

⓰ $1\frac{5}{7}$

⓱ $4\frac{4}{7}$

⓲ $2\frac{4}{7}$

⓳ $3\frac{3}{4}$

⓴ $2\frac{1}{6}$

㉑ $7\frac{1}{2}$

㉒ $8\frac{1}{3}$

㉓ $3\frac{7}{15}$

㉔ 8

㉕ $4\frac{11}{20}$

㉖ $6\frac{3}{8}$

㉗ $3\frac{3}{5}$

㉘ $1\frac{4}{11}$

㉙ $1\frac{23}{33}$

㉚ $2\frac{4}{11}$

㉛ $1\frac{3}{10}$

㉜ $9\frac{3}{8}$

㉝ $6\frac{1}{4}$

⑥ (대분수)÷(진분수)

6일차

18쪽 ❗ 계산 결과를 기약분수 또는 대분수로 나타내지 않아도 정답으로 인정합니다.

❶ 6

❷ $3\frac{1}{3}$

❸ $1\frac{3}{7}$

❹ $2\frac{1}{10}$

❺ $2\frac{4}{5}$

❻ $3\frac{3}{5}$

❼ $2\frac{1}{10}$

❽ $3\frac{8}{9}$

❾ $4\frac{2}{5}$

❿ $2\frac{2}{7}$

⓫ $1\frac{27}{28}$

⓬ $2\frac{11}{12}$

19쪽

⓭ $3\frac{5}{9}$

⓮ $3\frac{3}{5}$

⓯ $16\frac{1}{2}$

⓰ 34

⓱ $4\frac{4}{5}$

⓲ $6\frac{3}{4}$

⓳ $10\frac{2}{3}$

⓴ $4\frac{3}{8}$

㉑ 4

㉒ $4\frac{6}{7}$

㉓ $4\frac{5}{7}$

㉔ $3\frac{1}{3}$

㉕ $4\frac{10}{13}$

㉖ $3\frac{3}{4}$

㉗ $19\frac{1}{2}$

㉘ $11\frac{2}{5}$

㉙ $5\frac{1}{7}$

㉚ $4\frac{4}{9}$

㉛ $12\frac{1}{2}$

㉜ $8\frac{1}{3}$

㉝ $5\frac{5}{6}$

⑦ (대분수)÷(대분수)

20쪽 ❗ 계산 결과를 기약분수 또는 대분수로 나타내지 않아도 정답으로 인정합니다.

❶ $1\frac{1}{8}$　　❺ $1\frac{1}{3}$　　❾ $1\frac{19}{80}$

❷ $\frac{2}{3}$　　❻ $\frac{54}{77}$　　❿ $\frac{5}{6}$

❸ $\frac{7}{20}$　　❼ $\frac{25}{42}$　　⓫ $1\frac{11}{21}$

❹ $\frac{3}{5}$　　❽ $\frac{7}{16}$　　⓬ $\frac{7}{9}$

21쪽

⓭ $1\frac{1}{3}$　　⓴ $1\frac{9}{13}$　　㉗ $3\frac{3}{5}$

⓮ $1\frac{2}{3}$　　㉑ $2\frac{4}{11}$　　㉘ $1\frac{1}{3}$

⓯ $\frac{33}{40}$　　㉒ $2\frac{1}{10}$　　㉙ $2\frac{1}{2}$

⓰ $1\frac{29}{70}$　　㉓ $1\frac{11}{49}$　　㉚ $2\frac{2}{7}$

⓱ $1\frac{3}{5}$　　㉔ $\frac{20}{21}$　　㉛ $3\frac{1}{7}$

⓲ $\frac{65}{72}$　　㉕ $\frac{3}{4}$　　㉜ $2\frac{1}{24}$

⓳ $2\frac{2}{7}$　　㉖ $1\frac{13}{72}$　　㉝ $2\frac{4}{7}$

---

⑧ 그림에서 분수의 나눗셈하기

⑨ 앞의 수를 뒤의 수로 나눈 몫 구하기

22쪽 ❗ 계산 결과를 기약분수 또는 대분수로 나타내지 않아도 정답으로 인정합니다.

❶ 2, 4　　❹ $\frac{1}{3}$, $2\frac{2}{7}$

❷ 10, $3\frac{3}{8}$　　❺ $1\frac{11}{24}$, $1\frac{17}{25}$

❸ $1\frac{7}{8}$, $2\frac{1}{22}$　　❻ 18, $6\frac{1}{4}$

23쪽

❼ 3　　⓫ $\frac{1}{2}$

❽ 8　　⓬ $2\frac{8}{11}$

❾ 4　　⓭ $7\frac{3}{7}$

❿ $5\frac{2}{5}$　　⓮ $1\frac{17}{33}$

---

⑩ 곱셈식에서 어떤 수 구하기

⑪ 나눗셈식에서 어떤 수 구하기

24쪽 ❗ 계산 결과를 기약분수 또는 대분수로 나타내지 않아도 정답으로 인정합니다.

❶ 4　　❺ $1\frac{1}{4}$

❷ 2　　❻ $2\frac{4}{5}$

❸ 12　　❼ $11\frac{1}{9}$

❹ $2\frac{2}{5}$　　❽ $1\frac{1}{3}$

25쪽

❾ 2　　⓭ $7\frac{1}{8}$

❿ $3\frac{1}{2}$　　⓮ $2\frac{1}{10}$

⓫ $1\frac{7}{18}$　　⓯ $3\frac{7}{9}$

⓬ $22\frac{1}{2}$　　⓰ $1\frac{17}{25}$

❶ $\square = \frac{4}{5} \div \frac{1}{5} = 4$

❺ $\square = \frac{5}{7} \div \frac{4}{7} = 1\frac{1}{4}$

❷ $\square = \frac{3}{5} \div \frac{3}{10} = 2$

❻ $\square = \frac{4}{5} \div \frac{2}{7} = 2\frac{4}{5}$

❸ $\square = 8 \div \frac{2}{3} = 12$

❼ $\square = 10 \div \frac{9}{10} = 11\frac{1}{9}$

❹ $\square = \frac{9}{5} \div \frac{3}{4} = 2\frac{2}{5}$

❽ $\square = 1\frac{1}{6} \div \frac{7}{8} = 1\frac{1}{3}$

❾ $\square = \frac{10}{13} \div \frac{5}{13} = 2$

⓭ $\square = \frac{19}{10} \div \frac{4}{15} = 7\frac{1}{8}$

❿ $\square = \frac{7}{11} \div \frac{2}{11} = 3\frac{1}{2}$

⓮ $\square = 1\frac{2}{5} \div \frac{2}{3} = 2\frac{1}{10}$

⓫ $\square = \frac{5}{12} \div \frac{3}{10} = 1\frac{7}{18}$

⓯ $\square = 2\frac{5}{6} \div \frac{3}{4} = 3\frac{7}{9}$

⓬ $\square = 18 \div \frac{4}{5} = 22\frac{1}{2}$

⓰ $\square = 3\frac{3}{5} \div 2\frac{1}{7} = 1\frac{17}{25}$

10일 차

26쪽 ❗ 계산 결과를 기약분수 또는 대분수로 나타내지 않아도 정답으로 인정합니다.

❶ 5, 1 / 5

❷ 7, 1 / $4\frac{2}{3}$

❸ 6, 2 / 15

❹ 3, 9 / $10\frac{1}{2}$

❺ 8, 2 / $13\frac{2}{7}$

❻ 5, 2 / $6\frac{7}{8}$

27쪽

❼ 2, 5 / $\frac{2}{5}$

❽ 3, 6 / $\frac{7}{10}$

❾ 4, 7 / $4\frac{4}{7}$

❿ 9, 4 / $1\frac{13}{27}$

⑪ 1, 8 / $3\frac{1}{3}$

⑫ 4, 7 / $\frac{20}{21}$

---

⑭ **분수의 나눗셈 문장제**

11일 차

28쪽 ❗ 계산 결과를 기약분수 또는 대분수로 나타내지 않아도 정답으로 인정합니다.

❶ $\frac{6}{7}$, $\frac{3}{14}$, 4 / 4개

❷ $\frac{7}{8}$, $\frac{3}{8}$, $2\frac{1}{3}$ / $2\frac{1}{3}$배

29쪽

❸ $12 \div \frac{3}{5} = 20$ / 20개

❹ $\frac{13}{12} \div \frac{3}{4} = 1\frac{4}{9}$ / $1\frac{4}{9}$배

❺ $10\frac{1}{2} \div 1\frac{3}{4} = 6$ / 6판

❸ (나누어 담을 수 있는 컵의 수)
= (전체 주스의 양) ÷ (한 컵에 담을 주스의 양)
= $12 \div \frac{3}{5} = 20$(개)

❹ (위인전의 무게) ÷ (동화책의 무게)
= $\frac{13}{12} \div \frac{3}{4} = 1\frac{4}{9}$(배)

❺ (만들 수 있는 피자의 수)
= (전체 밀가루의 양) ÷ (피자 한 판을 만드는 데 필요한 밀가루의 양)
= $10\frac{1}{2} \div 1\frac{3}{4} = 6$(판)

---

⑮ **서로 다른 단위가 섞여 있는 분수의 나눗셈 문장제**

12일 차

30쪽 ❗ 계산 결과를 기약분수 또는 대분수로 나타내지 않아도 정답으로 인정합니다.

❶ $\frac{14}{15}$, 7 / 7 g

❷ $\frac{23}{25}$, $11\frac{1}{2}$ / $11\frac{1}{2}$ cm

31쪽

❸ $10 \div \frac{4}{5} = 12\frac{1}{2}$ / $12\frac{1}{2}$ kg

❹ $4\frac{2}{5} \div \frac{4}{9} = 9\frac{9}{10}$ / $9\frac{9}{10}$ kg

❺ $17\frac{1}{2} \div \frac{7}{8} = 20$ / 20분

❸ (수박 1통의 무게)
= (수박 $\frac{4}{5}$통의 무게) ÷ $\frac{4}{5}$
= $10 \div \frac{4}{5} = 12\frac{1}{2}$(kg)

❹ (선우가 1시간 동안 캘 수 있는 감자의 무게)
= (선우가 $\frac{4}{9}$시간 동안 캔 감자의 무게) ÷ $\frac{4}{9}$
= $4\frac{2}{5} \div \frac{4}{9} = 9\frac{9}{10}$(kg)

❺ (윤아가 1 km를 걷는 데 걸리는 시간)
= (윤아가 $\frac{7}{8}$ km를 걷는 데 걸린 시간) ÷ $\frac{7}{8}$
= $17\frac{1}{2} \div \frac{7}{8} = 20$(분)

⑯ 바르게 계산한 값 구하기

32쪽 ❗ 계산 결과를 기약분수 또는 대분수로 나타내지 않아도 정답으로 인정합니다.

❶ $\dfrac{8}{11}$, $\dfrac{8}{11}$, $\dfrac{10}{11}$, $\dfrac{10}{11}$, $1\dfrac{3}{22}$ / $1\dfrac{3}{22}$

❷ $\dfrac{3}{14}$, $\dfrac{3}{14}$, $\dfrac{1}{4}$, $\dfrac{1}{4}$, $3\dfrac{3}{7}$ / $3\dfrac{3}{7}$

33쪽

❸ 147

❹ $6\dfrac{3}{10}$

❺ $\dfrac{8}{9}$

❸ 어떤 수를 □라 하면

$\square \times \dfrac{2}{7} = 12 \Rightarrow 12 \div \dfrac{2}{7} = \square$, □=42입니다.

따라서 바르게 계산한 값은 $42 \div \dfrac{2}{7} = 147$입니다.

❹ 어떤 수를 □라 하면

$\square \times \dfrac{2}{3} = 2\dfrac{4}{5} \Rightarrow 2\dfrac{4}{5} \div \dfrac{2}{3} = \square$, $\square = 4\dfrac{1}{5}$ 입니다.

따라서 바르게 계산한 값은 $4\dfrac{1}{5} \div \dfrac{2}{3} = 6\dfrac{3}{10}$입니다.

❺ 어떤 수를 □라 하면

$1\dfrac{2}{3} \times \square = 3\dfrac{1}{8} \Rightarrow 3\dfrac{1}{8} \div 1\dfrac{2}{3} = \square$, $\square = 1\dfrac{7}{8}$ 입니다.

따라서 바르게 계산한 값은 $1\dfrac{2}{3} \div 1\dfrac{7}{8} = \dfrac{8}{9}$입니다.

평가 1. 분수의 나눗셈

34쪽 ❗ 계산 결과를 기약분수 또는 대분수로 나타내지 않아도 정답으로 인정합니다.

1 2

2 4

3 $\dfrac{1}{2}$

4 $1\dfrac{3}{5}$

5 2

6 $1\dfrac{23}{27}$

7 15

8 $16\dfrac{1}{2}$

9 $2\dfrac{1}{10}$

10 $3\dfrac{1}{3}$

11 $2\dfrac{13}{21}$

12 6

13 $\dfrac{27}{40}$

14 $2\dfrac{18}{35}$

35쪽

15 $\dfrac{8}{15} \div \dfrac{2}{15} = 4$ / 4일

16 $\dfrac{14}{15} \div \dfrac{3}{10} = 3\dfrac{1}{9}$ / $3\dfrac{1}{9}$배

17 $2000 \div \dfrac{2}{5} = 5000$ / 5000원

18 $3\dfrac{6}{7} \div \dfrac{3}{8} = 10\dfrac{2}{7}$ / $10\dfrac{2}{7}$ km

19 2, 8 / $7\dfrac{1}{5}$

20 $6\dfrac{8}{15}$

15 (식혜를 마실 수 있는 날수)
= (전체 식혜의 양)÷(하루에 마시는 식혜의 양)
= $\dfrac{8}{15} \div \dfrac{2}{15} = 4$(일)

16 (멜론의 무게)÷(사과의 무게)
= $\dfrac{14}{15} \div \dfrac{3}{10} = 3\dfrac{1}{9}$(배)

17 (아이스크림 1 kg의 가격)
= (아이스크림 $\dfrac{2}{5}$ kg의 가격)÷$\dfrac{2}{5}$
= $2000 \div \dfrac{2}{5} = 5000$(원)

18 (휘발유 1 L로 갈 수 있는 거리)
= (휘발유 $\dfrac{3}{8}$ L로 갈 수 있는 거리)÷$\dfrac{3}{8}$
= $3\dfrac{6}{7} \div \dfrac{3}{8} = 10\dfrac{2}{7}$(km)

19 • 나누어지는 수가 가장 큰 경우: $\dfrac{9}{2}$
    • 나누는 수가 가장 작은 경우: $\dfrac{5}{8}$
    ⇨ $\dfrac{9}{2} \div \dfrac{5}{8} = 7\dfrac{1}{5}$

20 어떤 수를 □라 하면
$\square \times \dfrac{5}{7} = \dfrac{10}{3} \Rightarrow \dfrac{10}{3} \div \dfrac{5}{7} = \square$, $\square = 4\dfrac{2}{3}$입니다.
따라서 바르게 계산한 값은 $4\dfrac{2}{3} \div \dfrac{5}{7} = 6\dfrac{8}{15}$입니다.

2. 소수의 나눗셈

① 자연수의 나눗셈을 이용한 (소수)÷(소수)

38쪽

❶ 14, 2, 7 / 7
❷ 63, 3, 21 / 21
❸ 86, 43, 2 / 2
❹ 96, 12, 8 / 8

39쪽

❺ 10, 10 / 75, 5, 15 / 15
❻ 10, 10 / 104, 8, 13 / 13
❼ 10, 10 / 161, 7, 23 / 23
❽ 10, 10 / 279, 9, 31 / 31
❾ 100, 100 / 144, 4, 36 / 36
❿ 100, 100 / 225, 25, 9 / 9
⓫ 100, 100 / 297, 27, 11 / 11
⓬ 100, 100 / 354, 59, 6 / 6

② (소수 한 자리 수)÷(소수 한 자리 수)

40쪽

❶ 3
❷ 5
❸ 8
❹ 11
❺ 14
❻ 19
❼ 21
❽ 17
❾ 22

41쪽

❿ 2
⓫ 4
⓬ 5
⓭ 3
⓮ 7
⓯ 9
⓰ 5
⓱ 8
⓲ 9
⓳ 11
⓴ 13
㉑ 12
㉒ 11
㉓ 14
㉔ 12
㉕ 13
㉖ 15
㉗ 18
㉘ 19
㉙ 21
㉚ 28

③ (소수 두 자리 수)÷(소수 두 자리 수)

42쪽

❶ 3
❷ 4
❸ 9
❹ 12
❺ 13
❻ 11
❼ 17
❽ 18
❾ 29

43쪽

❿ 3
⓫ 5
⓬ 6
⓭ 4
⓮ 8
⓯ 7
⓰ 9
⓱ 8
⓲ 11
⓳ 12
⓴ 12
㉑ 14
㉒ 13
㉓ 16
㉔ 15
㉕ 13
㉖ 17
㉗ 18
㉘ 19
㉙ 24
㉚ 27

④ (소수 두 자리 수)÷(소수 한 자리 수)

4일차

44쪽

❶ 1.7	❹ 3.6	❼ 3.2
❷ 2.3	❺ 1.9	❽ 3.7
❸ 2.8	❻ 2.1	❾ 4.3

45쪽

❿ 1.2	⓱ 1.5	㉔ 2.6
⓫ 0.7	⓲ 4.2	㉕ 4.9
⓬ 3.5	⓳ 3.8	㉖ 3.9
⓭ 2.6	⓴ 4.6	㉗ 3.7
⓮ 1.9	㉑ 2.6	㉘ 4.1
⓯ 0.9	㉒ 1.8	㉙ 3.8
⓰ 3.1	㉓ 3.3	㉚ 4.3

⑤ (자연수)÷(소수 한 자리 수)

5일차

46쪽

❶ 2	❹ 5	❼ 14
❷ 6	❺ 16	❽ 25
❸ 5	❻ 15	❾ 28

47쪽

❿ 5	⓱ 15	㉔ 25
⓫ 4	⓲ 16	㉕ 25
⓬ 2	⓳ 15	㉖ 26
⓭ 5	⓴ 20	㉗ 28
⓮ 12	㉑ 24	㉘ 34
⓯ 15	㉒ 18	㉙ 35
⓰ 20	㉓ 25	㉚ 42

⑥ (자연수)÷(소수 두 자리 수)

6일차

48쪽

❶ 25	❹ 25	❼ 36
❷ 25	❺ 16	❽ 40
❸ 16	❻ 32	❾ 75

49쪽

❿ 20	⓱ 28	㉔ 36
⓫ 50	⓲ 50	㉕ 25
⓬ 44	⓳ 20	㉖ 44
⓭ 25	⓴ 40	㉗ 48
⓮ 16	㉑ 25	㉘ 50
⓯ 24	㉒ 75	㉙ 72
⓰ 50	㉓ 56	㉚ 75

⑦ 몫을 반올림하여 나타내기

7일차

50쪽

- ❶ 2
- ❷ 1
- ❸ 2.4
- ❹ 3.1
- ❺ 0.54
- ❻ 1.14

51쪽

- ❼ 1
- ❽ 1
- ❾ 1.7
- ❿ 1.2
- ⓫ 3.14
- ⓬ 5.83
- ⓭ 3.29
- ⓮ 2.89

⑧ 소수의 나눗셈에서 몫을 자연수까지 구할 때 남는 수 구하기

8일차

52쪽

- ❶ 3 / 1.2
- ❷ 3 / 1.8
- ❸ 8 / 3.6
- ❹ 9 / 2.5
- ❺ 14 / 5.4
- ❻ 17 / 4.2

53쪽

- ❼ 1 / 2.4
- ❽ 2 / 2.8
- ❾ 4 / 0.9
- ❿ 11 / 1.7
- ⓫ 5 / 5.1
- ⓬ 6 / 0.2
- ⓭ 8 / 3.5
- ⓮ 6 / 6.3
- ⓯ 23 / 2.7
- ⓰ 17 / 3.4
- ⓱ 13 / 4.2
- ⓲ 14 / 1.6

⑨ 그림에서 소수의 나눗셈하기

⑩ 큰 수를 작은 수로 나눈 몫 구하기

9일차

54쪽

- ❶ 3 / 4
- ❷ 2.1 / 5.2
- ❸ 5 / 12
- ❹ 12 / 3.7
- ❺ 9 / 25
- ❻ 11 / 25

55쪽

- ❼ 18
- ❽ 2.3
- ❾ 25
- ❿ 3.9
- ⓫ 3
- ⓬ 8
- ⓭ 25
- ⓮ 15

56쪽

❶ 4 / 40 / 400   ❹ 3 / 30 / 300   ❼ 15 / 150 / 1500
❷ 3 / 30 / 300   ❺ 8 / 80 / 800   ❽ 11 / 110 / 1100
❸ 2 / 20 / 200   ❻ 7 / 70 / 700   ❾ 19 / 190 / 1900

57쪽

❿ 36 / 360 / 3600   ⑬ 25 / 250 / 2500   ⑯ 49 / 490 / 4900
⑪ 23 / 230 / 2300   ⑭ 31 / 310 / 3100   ⑰ 58 / 580 / 5800
⑫ 42 / 420 / 4200   ⑮ 59 / 590 / 5900   ⑱ 62 / 620 / 6200

⑬ 곱셈식에서 어떤 수 구하기   ⑭ 나눗셈식에서 어떤 수 구하기

58쪽

❶ 4   ❻ 7
❷ 3   ❼ 11
❸ 4.1   ❽ 4.7
❹ 14   ❾ 15
❺ 24   ❿ 75

59쪽

⑪ 6   ⑯ 6.2
⑫ 9   ⑰ 18
⑬ 11   ⑱ 25
⑭ 26   ⑲ 24
⑮ 5.8   ⑳ 25

❶ $\square = 5.2 \div 1.3 = 4$ ❻ $\square = 15.4 \div 2.2 = 7$ ⑪ $\square = 8.4 \div 1.4 = 6$ ⑯ $\square = 42.78 \div 6.9 = 6.2$
❷ $\square = 6.42 \div 2.14 = 3$ ❼ $\square = 41.69 \div 3.79 = 11$ ⑫ $\square = 10.8 \div 1.2 = 9$ ⑰ $\square = 81 \div 4.5 = 18$
❸ $\square = 9.43 \div 2.3 = 4.1$ ❽ $\square = 50.76 \div 10.8 = 4.7$ ⑬ $\square = 24.97 \div 2.27 = 11$ ⑱ $\square = 195 \div 7.8 = 25$
❹ $\square = 49 \div 3.5 = 14$ ❾ $\square = 42 \div 2.8 = 15$ ⑭ $\square = 29.38 \div 1.13 = 26$ ⑲ $\square = 30 \div 1.25 = 24$
❺ $\square = 102 \div 4.25 = 24$ ❿ $\square = 63 \div 0.84 = 75$ ⑮ $\square = 31.32 \div 5.4 = 5.8$ ⑳ $\square = 111 \div 4.44 = 25$

⑮ 몫이 가장 큰 소수의 나눗셈식 만들기   ⑯ 몫이 가장 작은 소수의 나눗셈식 만들기

60쪽

❶ 8, 4, 2 / 42   ❹ 6, 5, 3 / 5
❷ 9, 3, 6 / 27   ❺ 9, 8, 4 / 0.7
❸ 7, 6, 4 / 190   ❻ 9, 2, 5 / 4

61쪽

❼ 2, 4, 6 / 4   ❿ 0, 4, 7 / 4
❽ 1, 6, 8 / 0.2   ⑪ 1, 2, 9 / 1.4
❾ 1, 3, 5 / 26   ⑫ 1, 3, 6 / 25

62쪽 ❶ 정답을 위에서부터 확인합니다.

❶ 2, 8, 8, 1, 8

❷ 1, 5, 2, 5, 5

❸ 1, 0, 6, 6, 6

❹ 7, 1, 6, 6, 6

63쪽

❺ 5, 1, 3, 1, 1

❻ 8, 7, 1, 0, 0

❼ 2, 6, 8, 5, 5

❽ 7, 2, 1, 1, 1

❾ 3, 2, 0, 2, 0, 0

❿ 8, 3, 4, 4, 4, 4

---

❶
```
       ㉠ 6
0.3 ) 7 . ㉡
      6
      1 ㉢
      ㉣ ㉤
        0
```
· $3 \times ㉠ = 6 \Rightarrow ㉠ = 2$
· $3 \times 6 = 18 \Rightarrow ㉣ = 1, ㉤ = ㉢ = ㉡ = 8$

❷
```
           ㉠ 2
1.27 ) 1 ㉡ . ㉢ 4
       1 2 7
         2 ㉣ 4
         2 ㉤ 4
             0
```
· $127 \times ㉠ = 127 \Rightarrow ㉠ = 1$
· $127 \times 2 = 254 \Rightarrow ㉤ = ㉣ = 5$
· $1㉡㉢ - 127 = 25 \Rightarrow ㉡ = 5, ㉢ = 2$

❸
```
          ㉠ . 1
4.6 ) 5 . ㉡ ㉢
      4 6
      4 ㉣
      4 ㉤
        0
```
· $46 \times ㉠ = 46 \Rightarrow ㉠ = 1$
· $5㉡ - 46 = 4 \Rightarrow ㉡ = 0$
· $46 \times 1 = 46 \Rightarrow ㉤ = ㉣ = ㉢ = 6$

❹
```
           ㉠ . 4
2.9 ) 2 ㉡ . 4 ㉢
      2 0 3
        1 1 ㉣
        1 1 ㉤
            0
```
· $29 \times ㉠ = 203 \Rightarrow ㉠ = 7$
· $2㉡4 - 203 = 11 \Rightarrow ㉡ = 1$
· $29 \times 4 = 116 \Rightarrow ㉢ = ㉣ = ㉤ = 6$

❺
```
           1 ㉠
3.81 ) 5 7 . ㉡ 5
       ㉢ 8 1
       ㉣ 9 0 5
       ㉤ 9 0 5
             0
```
· $381 \times 1 = ㉢81 \Rightarrow ㉢ = 3$
· $57㉡ - 381 = ㉣90$
  $\Rightarrow ㉡ = 1, ㉣ = ㉤ = 1$
· $381 \times ㉠ = 1905 \Rightarrow ㉠ = 5$

❻
```
          1 ㉠
1.5 ) 2 ㉡ . 0
      ㉢ 5
      1 2 ㉣
      1 2 ㉤
          0
```
· $15 \times 1 = ㉢5 \Rightarrow ㉢ = 1$
· $2㉡ - 15 = 12 \Rightarrow ㉡ = 7$
· 0을 내려야 합니다. $\Rightarrow ㉣ = ㉤ = 0$
· $15 \times ㉠ = 120 \Rightarrow ㉠ = 8$

❼
```
                3 ㉠
5.25 ) 1 ㉡ ㉢ . 0 0
       1 5 7 5
         1 0 ㉣ 0
         1 0 ㉤ 0
               0
```
· $1㉡㉢0 - 1575 = 10㉣$
  $\Rightarrow ㉡ = 6, ㉢ = 8, ㉣ = ㉤ = 5$
· $525 \times ㉠ = 1050 \Rightarrow ㉠ = 2$

❽
```
          2 . 3
2.㉠ ) 6 . ㉡ ㉢
      5 4
        8 ㉣
        8 ㉤
          0
```
· $2㉠ \times 2 = 54 \Rightarrow ㉠ = 7$
· $6㉡ - 54 = 8 \Rightarrow ㉡ = 2$
· $27 \times 3 = 81 \Rightarrow ㉢ = ㉣ = ㉤ = 1$

❾
```
             7 5
㉠.2 ) ㉡ 4 ㉢ . 0
       ㉣ 2 4
         1 6 ㉤
         1 6 ㉥
             0
```
· 0을 내려야 합니다. $\Rightarrow ㉤ = ㉥ = 0$
· $㉠2 \times 5 = 160 \Rightarrow ㉠ = 3$
· $32 \times 7 = 224 \Rightarrow ㉣ = 2$
· $㉡4㉢ - 224 = 16$
  $\Rightarrow ㉡ = 2, ㉢ = 0$

❿
```
             2 8
4.㉠ ) 1 ㉡ ㉢ . ㉣
       9 6
       3 8 ㉤
       3 8 ㉥
           0
```
· $4㉠ \times 2 = 96 \Rightarrow ㉠ = 8$
· $1㉡㉢ - 96 = 38 \Rightarrow ㉡ = 3, ㉢ = 4$
· $48 \times 8 = 384 \Rightarrow ㉥ = ㉤ = ㉣ = 4$

---

⑱ 소수의 나눗셈 문장제

64쪽

❶ 111.6, 6.2, 18 / 18도막

❷ 3.06, 1.53, 2 / 2배

65쪽

❸ $14 \div 3.5 = 4$ / 4배

❹ $210 \div 5.25 = 40$ / 40봉지

❺ 예 $8 \div 7 = 1.142 \cdots$ / 1.14배

---

❸ (현주가 딴 귤의 무게)÷(석관이가 딴 귤의 무게)
　= $14 \div 3.5 = 4$(배)

❹ (팔 수 있는 쌀의 봉지 수)
　=(전체 쌀의 무게)÷(한 봉지에 담는 쌀의 무게)
　= $210 \div 5.25 = 40$(봉지)

❺ (노란색 색연필의 길이)÷(파란색 색연필의 길이)
　= $8 \div 7 = 1.142 \cdots$
　따라서 반올림하여 소수 둘째 자리까지 나타내면 1.14배입니다.

15일차

⑲ 서로 다른 단위가 섞여 있는 소수의 나눗셈 문장제

66쪽

❶ 27.2, 8 / 8 L
❷ 78.25, 25 / 25 km

❸ (쇠막대 1 m의 무게)
   =(쇠막대 5.2 m의 무게)÷5.2
   =24.44÷5.2=4.7(kg)
❹ (기차가 한 시간 동안 갈 수 있는 거리)
   =(기차가 1.5시간 동안 간 거리)÷1.5
   =168÷1.5=112(km)

67쪽

❸ 24.44÷5.2=4.7 / 4.7 kg
❹ 168÷1.5=112 / 112 km
❺ 예 5.2÷7=0.74…… / 0.7 L

❺ (한 사람이 마실 수 있는 식혜의 양)
   =(전체 식혜의 양)÷(나누어 마시는 사람 수)
   =5.2÷7=0.74……
   따라서 반올림하여 소수 첫째 자리까지 나타내면 0.7 L입니다.

16일차

⑳ 나누어 주고 남는 양 구하기

68쪽

❶ 8.1, 3, 2, 2.1 / 2, 2.1
❷ 45.9, 9, 5, 0.9 / 5, 0.9

❸ (전체 모래의 무게)÷(한 통에 담는 모래의 무게)
   =51.5÷5=10(통)…1.5(kg)
❹ (전체 금의 무게)÷(반지 한 개를 만드는 데 필요한 금의 무게)
   =52.2÷3=17(개)…1.2(g)

69쪽

❸ 51.5÷5=10…1.5 / 10, 1.5
❹ 52.2÷3=17…1.2 / 17, 1.2
❺ 예 86.4÷6=14…2.4 / 14, 2.4

❺ (전체 포도의 무게)÷(한 상자에 담는 포도의 무게)
   =86.4÷6=14(상자)…2.4(kg)

17일차

㉑ 바르게 계산한 값 구하기

70쪽

❶ 9.8, 9.8, 7, 7, 5 / 5
❷ 9.72, 9.72, 1.8, 1.8, 3 / 3

❸ 어떤 수를 □라 하면
   □×0.3=0.63 ⇨ 0.63÷0.3=□, □=2.1입니다.
   따라서 바르게 계산한 값은 2.1÷0.3=7입니다.
❹ 어떤 수를 □라 하면
   □×3.5=73.5 ⇨ 73.5÷3.5=□, □=21입니다.
   따라서 바르게 계산한 값은 21÷3.5=6입니다.

71쪽

❸ 7
❹ 6
❺ 4

❺ 어떤 수를 □라 하면
   22.4×□=125.44 ⇨ 125.44÷22.4=□, □=5.6입니다.
   따라서 바르게 계산한 값은 22.4÷5.6=4입니다.

18일 차

72쪽

1　8
2　14
3　5.5
4　26
5　75
6　11
7　4
8　3.9
9　15
10　48
11　2.3
12　1.6
13　1 / 3.1
14　6 / 0.9

73쪽

15　3.6÷0.4＝9 / 9배
16　130÷5.2＝25 / 25도막
17　63.72÷10.8＝5.9 / 5.9 kg
18　7.4÷2＝3…1.4 / 3, 1.4
19　8, 7, 3 / 290
20　5

15 (수박의 무게)÷(사과의 무게)
　＝3.6÷0.4＝9(배)
16 (팔 수 있는 털실의 도막 수)
　＝(전체 털실의 길이)÷(털실 한 도막의 길이)
　＝130÷5.2＝25(도막)
17 (철근 1 m의 무게)
　＝(철근 10.8 m의 무게)÷10.8
　＝63.72÷10.8＝5.9(kg)

18 (전체 페인트의 양)÷(한 사람에게 나누어 주는 페인트의 양)
　＝7.4÷2＝3(명)…1.4(L)
19 • 나누어지는 수가 가장 큰 경우: 87
　 • 나누는 수가 가장 작은 경우: 0.3
　 ⇨ 87÷0.3＝290
20 어떤 수를 ☐라 하면
　☐×2.1＝22.05 ⇨ 22.05÷2.1＝☐, ☐＝10.5입니다.
　따라서 바르게 계산한 값은 10.5÷2.1＝5입니다.

3. 공간과 입체

① 쌓은 모양과 위에서 본 모양을 보고 쌓기나무의 개수 구하기

1일 차

76쪽

❶ 4개
❷ 6개
❸ 7개
❹ 8개
❺ 9개
❻ 11개

77쪽

❼ 13개
❽ 13개
❾ 14개
❿ 14개
⓫ 9개
⓬ 10개
⓭ 10개
⓮ 11개

② 쌓은 모양을 보고 위, 앞, 옆에서 본 모양 그리기

2일 차

78쪽

79쪽

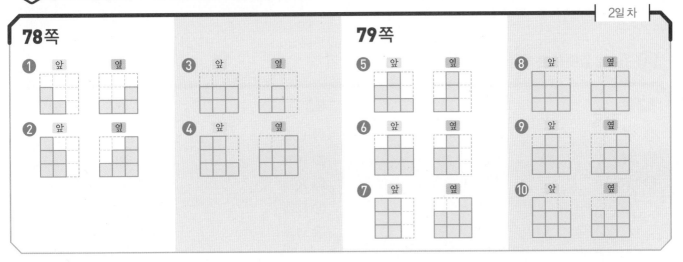

③ 쌓은 모양을 보고 위에서 본 모양에 수를 써서 쌓기나무의 개수 구하기

3일차

80쪽

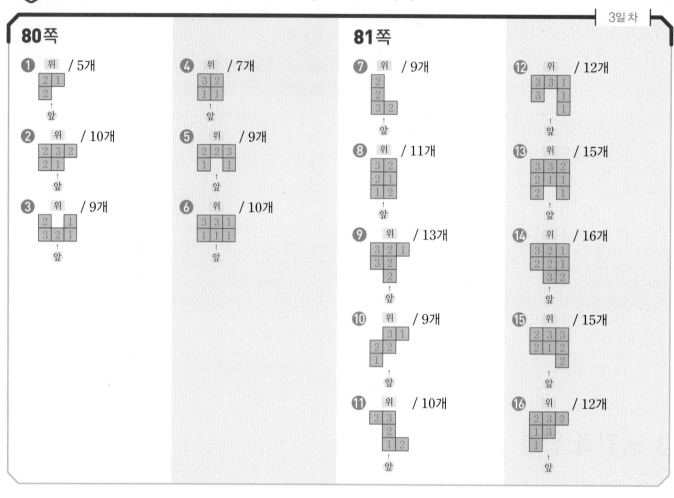

81쪽

82쪽

❶ 8개   ❹ 9개

❷ 7개   ❺ 7개

❸ 11개   ❻ 9개

④ 위, 앞, 옆에서 본 모양을 보고 쌓기나무의 개수 구하기

4일차

83쪽

❼ 11개   ⑫ 9개

❽ 10개   ⑬ 11개

❾ 10개   ⑭ 10개

⑩ 12개   ⑮ 10개

⑪ 11개   ⑯ 13개

⑤ 쌓은 모양을 보고 층별로 나타낸 모양 그리기

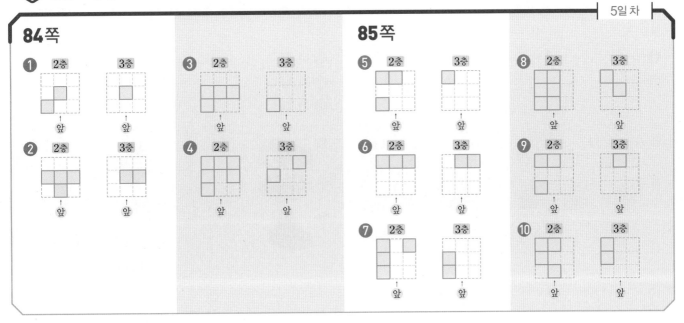

⑥ 층별로 나타낸 모양을 보고 위에서 본 모양에 수 쓰기

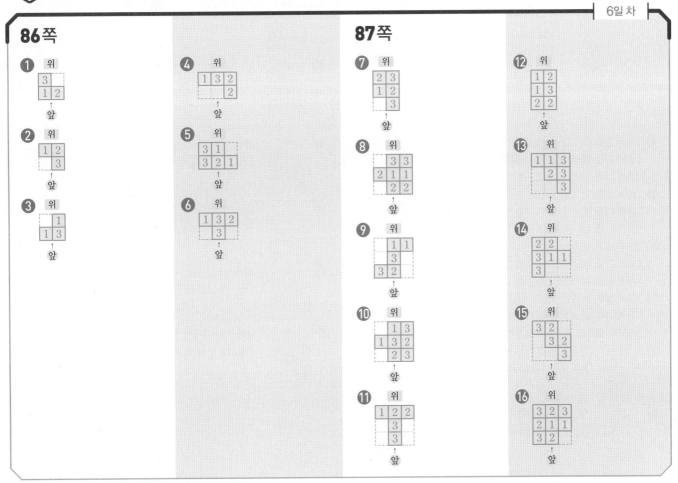

7 쌓기나무 1개를 붙여서 만들 수 있는 모양 찾기   **8** 사용한 두 가지 모양 찾기

7일차

88쪽

❶ 라   ❸ 가
❷ 나   ❹ 다

89쪽

❺ 나, 다   ❽ 가, 다
❻ 가, 나   ❾ 가, 나
❼ 가, 다   ❿ 나, 다

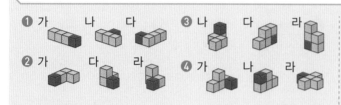

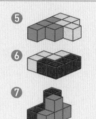

9 1층 모양을 보고 다른 층의 모양 찾기

10 사용한 쌓기나무의 개수와 위와 앞에서 본 모양을 알 때, 옆에서 본 모양 그리기

8일차

90쪽

❶ 가 / 나   ❸ 다 / 가
❷ 나 / 다   ❹ 다 / 나

91쪽

❺ 옆

❻ 옆

❼ 옆

❽ 옆

❾ 옆

❿ 옆

❶ 2층에 쌓을 수 있는 모양은 가, 나입니다.
2층에 가를 쌓으면 3층에 나를 쌓을 수 있습니다.
2층에 나를 쌓으면 3층에 가를 쌓을 수 없습니다.

❷ 2층에 쌓을 수 있는 모양은 나, 다입니다.
2층에 나를 쌓으면 3층에 다를 쌓을 수 있습니다.
2층에 다를 쌓으면 3층에 나를 쌓을 수 없습니다.

❸ 2층에 쌓을 수 있는 모양은 가, 다입니다.
2층에 가를 쌓으면 3층에 다를 쌓을 수 없습니다.
2층에 다를 쌓으면 3층에 가를 쌓을 수 있습니다.

❹ 2층에 쌓을 수 있는 모양은 나, 다입니다.
2층에 나를 쌓으면 3층에 다를 쌓을 수 없습니다.
2층에 다를 쌓으면 3층에 나를 쌓을 수 있습니다.

❺ 위

옆에서 본 모양은 왼쪽에서부터
2층, 2층, 1층입니다.

❻ 위

옆에서 본 모양은 왼쪽에서부터
2층, 1층, 2층입니다.

❼ 위

옆에서 본 모양은 왼쪽에서부터
1층, 3층, 2층입니다.

❽ 위

옆에서 본 모양은 왼쪽에서부터
3층, 3층입니다.

❾ 위

옆에서 본 모양은 왼쪽에서부터
2층, 3층, 1층입니다.

❿ 위

옆에서 본 모양은 왼쪽에서부터
1층, 3층, 3층입니다.

92쪽

1 11개

2 12개

3 앞 / 옆

4 위 / 9개

2 3 1
2 1
↑
앞

5 위 / 12개

3 1 2
3 1
2
↑
앞

6 9개

7 11개

93쪽

8 2층 / 3층

앞 / 앞

9 위

3 3
1 3
2 1
↑
앞

10 다

11 가, 나

12 가 / 나

13 옆

10 가 나

11

12 2층에 쌓을 수 있는 모양은 가, 나입니다.
2층에 가를 쌓으면 3층에 나를 쌓을 수 있습니다.
2층에 나를 쌓으면 3층에 가를 쌓을 수 없습니다.

13 위 옆에서 본 모양은 왼쪽에서부터
3층, 3층, 3층입니다.

3
3 1
1 3

4. 비례식과 비례배분

① 곱셈을 이용한 비의 성질

② 나눗셈을 이용한 비의 성질

1일차

96쪽 ❶ 정답을 위에서부터 확인합니다.

❶ 9, 15 / 3
❷ 24, 28 / 4
❸ 78, 96 / 6
❹ 9 / 162, 63
❺ 7 / 147, 84
❻ 5 / 225, 120

97쪽

❼ 2, 3 / 4
❽ 2, 3 / 6
❾ 13, 16 / 3
❿ 9 / 9, 8
⑪ 15 / 10, 8
⑫ 12 / 30, 20

③ 자연수의 비를 간단한 자연수의 비로 나타내기

2일차

98쪽

❶ 1 : 3
❷ 1 : 2
❸ 2 : 3
❹ 5 : 3
❺ 1 : 2
❻ 4 : 3
❼ 6 : 5
❽ 4 : 5
❾ 4 : 3
❿ 9 : 7
⑪ 5 : 1
⑫ 3 : 1
⑬ 4 : 7
⑭ 10 : 7
⑮ 7 : 5

99쪽

⑯ 11 : 4
⑰ 9 : 5
⑱ 8 : 9
⑲ 13 : 17
⑳ 6 : 5
㉑ 4 : 5
㉒ 3 : 2
㉓ 23 : 8
㉔ 8 : 9
㉕ 19 : 10
㉖ 7 : 4
㉗ 8 : 5
㉘ 31 : 12
㉙ 7 : 3
㉚ 4 : 3
㉛ 8 : 5
㉜ 5 : 4
㉝ 20 : 9
㉞ 8 : 3
㉟ 10 : 3
㊱ 9 : 7

④ 소수의 비를 간단한 자연수의 비로 나타내기

3일차

100쪽

❶ 2 : 3
❷ 5 : 7
❸ 1 : 2
❹ 5 : 3
❺ 4 : 7
❻ 3 : 1
❼ 4 : 3
❽ 9 : 5
❾ 8 : 3
❿ 6 : 7
⑪ 5 : 8
⑫ 2 : 1
⑬ 3 : 7
⑭ 7 : 3
⑮ 5 : 4

101쪽

⑯ 6 : 13
⑰ 7 : 24
⑱ 9 : 16
⑲ 17 : 29
⑳ 16 : 21
㉑ 13 : 6
㉒ 54 : 47
㉓ 4 : 3
㉔ 31 : 50
㉕ 40 : 11
㉖ 13 : 5
㉗ 4 : 1
㉘ 12 : 5
㉙ 10 : 3
㉚ 9 : 5
㉛ 25 : 6
㉜ 20 : 7
㉝ 34 : 15
㉞ 15 : 8
㉟ 41 : 15
㊱ 30 : 13

⑤ 분수의 비를 간단한 자연수의 비로 나타내기

4일차

102쪽

❶ 3 : 2
❷ 6 : 5
❸ 9 : 20
❹ 4 : 9
❺ 13 : 16
❻ 9 : 22
❼ 15 : 7
❽ 4 : 3
❾ 6 : 7
❿ 15 : 14
⓫ 7 : 10
⓬ 5 : 6

103쪽

⓭ 25 : 18
⓮ 13 : 14
⓯ 6 : 13
⓰ 3 : 4
⓱ 5 : 8
⓲ 8 : 15
⓳ 3 : 11
⓴ 8 : 3
㉑ 5 : 18
㉒ 36 : 5
㉓ 3 : 14
㉔ 8 : 3
㉕ 7 : 15
㉖ 12 : 5
㉗ 5 : 6
㉘ 24 : 17
㉙ 3 : 16
㉚ 8 : 3

⑥ 소수와 분수의 비를 간단한 자연수의 비로 나타내기

5일차

104쪽

❶ 2 : 5
❷ 3 : 2
❸ 9 : 5
❹ 13 : 15
❺ 6 : 5
❻ 3 : 5
❼ 25 : 3
❽ 4 : 3
❾ 9 : 5
❿ 9 : 7
⓫ 8 : 9
⓬ 24 : 11

105쪽

⓭ 5 : 3
⓮ 5 : 6
⓯ 5 : 8
⓰ 5 : 9
⓱ 10 : 7
⓲ 3 : 10
⓳ 1 : 2
⓴ 8 : 3
㉑ 5 : 23
㉒ 2 : 7
㉓ 1 : 6
㉔ 13 : 21
㉕ 3 : 1
㉖ 11 : 3
㉗ 20 : 9
㉘ 11 : 7
㉙ 3 : 4
㉚ 4 : 3

⑦ 비례식

6일차

106쪽

❶ 3, 9
❷ 4, 10
❸ 6, 14
❹ 12, 10
❺ 14, 6
❻ 12, 9
❼ 36, 16
❽ 5, 4

107쪽

❾ 18, 21
❿ 26, 20
⓫ 5, 3
⓬ 12, 15
⓭ 10, 5
⓮ 12, 9
⓯ 14, 10
⓰ 18, 15
⓱ 10, 4
⓲ 15, 5
⓳ 14, 8
⓴ 20, 12

⑧ 비례식의 성질

108쪽

❶ 6
❷ 8
❸ 6
❹ 5
❺ 8

❻ 6
❼ 49
❽ 27
❾ 90
❿ 210

109쪽

⓫ 2
⓬ 5
⓭ 1.6
⓮ 3.6
⓯ 14
⓰ 8
⓱ 4.5

⓲ 15
⓳ 7
⓴ $\dfrac{3}{4}$
㉑ $\dfrac{5}{8}$
㉒ 15
㉓ $\dfrac{1}{6}$
㉔ 72

⑨ 비례배분

110쪽

❶ 1, 3
❷ 4, 2
❸ 3, 6
❹ 8, 2
❺ 6, 8

❻ 6, 9
❼ 6, 10
❽ 15, 6
❾ 3, 21
❿ 15, 10

111쪽

⓫ 12, 14
⓬ 21, 7
⓭ 20, 12
⓮ 7, 35
⓯ 30, 24
⓰ 36, 27
⓱ 40, 35

⓲ 54, 30
⓳ 66, 30
⓴ 24, 84
㉑ 88, 33
㉒ 91, 65
㉓ 135, 54
㉔ 180, 60

⑩ 두 직사각형의 한 변의 길이가 같을 때 넓이의 비   ⑪ 두 정사각형의 넓이의 비

112쪽

❶ 2 : 1
❷ 3 : 4
❸ 4 : 5

❹ 3 : 2
❺ 5 : 3
❻ 4 : 7

113쪽

❼ 4 : 9
❽ 49 : 64
❾ 9 : 16

❿ 36 : 25
⓫ 64 : 25
⓬ 25 : 16

❶ (㉮의 넓이) : (㉯의 넓이)
　=(㉮의 가로) : (㉯의 가로)=10 : 5=2 : 1
❷ (㉮의 넓이) : (㉯의 넓이)
　=(㉮의 가로) : (㉯의 가로)=9 : 12=3 : 4
❸ (㉮의 넓이) : (㉯의 넓이)
　=(㉮의 가로) : (㉯의 가로)=8 : 10=4 : 5
❹ (㉮의 넓이) : (㉯의 넓이)
　=(㉮의 세로) : (㉯의 세로)=12 : 8=3 : 2
❺ (㉮의 넓이) : (㉯의 넓이)
　=(㉮의 세로) : (㉯의 세로)=10 : 6=5 : 3
❻ (㉮의 넓이) : (㉯의 넓이)
　=(㉮의 세로) : (㉯의 세로)=8 : 14=4 : 7

❼ (㉮의 한 변의 길이) : (㉯의 한 변의 길이)=12 : 18=2 : 3
　(㉮의 넓이) : (㉯의 넓이)=(2×2) : (3×3)=4 : 9
❽ (㉮의 한 변의 길이) : (㉯의 한 변의 길이)=14 : 16=7 : 8
　(㉮의 넓이) : (㉯의 넓이)=(7×7) : (8×8)=49 : 64
❾ (㉮의 한 변의 길이) : (㉯의 한 변의 길이)=15 : 20=3 : 4
　(㉮의 넓이) : (㉯의 넓이)=(3×3) : (4×4)=9 : 16
❿ (㉮의 한 변의 길이) : (㉯의 한 변의 길이)=18 : 15=6 : 5
　(㉮의 넓이) : (㉯의 넓이)=(6×6) : (5×5)=36 : 25
⓫ (㉮의 한 변의 길이) : (㉯의 한 변의 길이)=16 : 10=8 : 5
　(㉮의 넓이) : (㉯의 넓이)=(8×8) : (5×5)=64 : 25
⓬ (㉮의 한 변의 길이) : (㉯의 한 변의 길이)=20 : 16=5 : 4
　(㉮의 넓이) : (㉯의 넓이)=(5×5) : (4×4)=25 : 16

⑫ 전항(후항)과 비율을 알 때 후항(전항)을 구하기

⑬ 비례배분하기 전의 전체 양 구하기

114쪽

❶ 12

❷ 12

❸ 30

❹ 45

❺ 6

❻ 14

❼ 24

❽ 12

115쪽

❾ 9

❿ 14

⓫ 36

⓬ 65

⓭ 112

❾ 어떤 수를 ☐라 하면

$\square \times \dfrac{1}{1+2}=3$, $\square \times \dfrac{1}{3}=3$, $\square=3 \div \dfrac{1}{3}=9$입니다.

❿ 어떤 수를 ☐라 하면

$\square \times \dfrac{3}{3+4}=6$, $\square \times \dfrac{3}{7}=6$, $\square=6 \div \dfrac{3}{7}=14$입니다.

⓫ 어떤 수를 ☐라 하면

$\square \times \dfrac{7}{7+2}=28$, $\square \times \dfrac{7}{9}=28$, $\square=28 \div \dfrac{7}{9}=36$입니다.

⓬ 어떤 수를 ☐라 하면

$\square \times \dfrac{4}{4+9}=20$, $\square \times \dfrac{4}{13}=20$, $\square=20 \div \dfrac{4}{13}=65$입니다.

⓭ 어떤 수를 ☐라 하면

$\square \times \dfrac{5}{5+11}=35$, $\square \times \dfrac{5}{16}=35$, $\square=35 \div \dfrac{5}{16}=112$입니다.

⑭ 간단한 자연수의 비로 나타내는 문장제

116쪽

❶ 40, 8 / 7 : 8

❷ $\dfrac{1}{4}$, 5 / 8 : 5

117쪽

❸ 4 : 3

❹ 3 : 2

❺ 5 : 4

❸ (민재가 딴 귤의 수) : (수빈이가 딴 귤의 수)
$=64 : 48 = 4 : 3$

❹ (지하철역까지의 거리) : (버스 정류장까지의 거리)
$=1.2 : 0.8 = 3 : 2$

❺ (예지가 마신 우유의 양) : (혁진이가 마신 우유의 양)
$= \dfrac{3}{8} : 0.3 = 5 : 4$

⑮ 비례식 문장제

118쪽

❶ 16, 16, 32, 4, 4 / 4컵

❷ 12, 12, 60, 15, 15 / 15분

119쪽

❸ 40 g

❹ 6송이

❺ 13800원

❸ 밀가루를 100 g 넣을 때 넣어야 할 설탕의 양을 ☐ g이라 하면
5 : 2=100 : ☐입니다.
⇨ 5×☐=2×100, 5×☐=200, ☐=40
따라서 밀가루를 100 g 넣었다면 설탕은 40 g 넣어야 합니다.
❹ 철사 90 cm로 만들 수 있는 꽃 모양 수를 ☐송이라 하면
2 : 30=☐ : 90입니다.
⇨ 2×90=30×☐, 30×☐=180, ☐=6
따라서 철사 90 cm로 꽃 모양을 6송이 만들 수 있습니다.

❺ 우유를 6통 사기 위해 필요한 돈을 ☐원이라 하면
2 : 4600=6 : ☐입니다.
⇨ 2×☐=4600×6, 2×☐=27600, ☐=13800
따라서 우유를 6통 사려면 13800원이 필요합니다.

⑯ 비례배분 문장제

13일 차

120쪽

❶ 4, 12, 3, 9 / 12 kg, 9 kg
❷ 5, 20, 4, 16 / 20개, 16개

121쪽

❸ 66 cm, 42 cm
❹ 6000원, 14000원
❺ 14시간, 10시간

❸ (채윤이가 가져야 하는 리본의 길이)=$108×\dfrac{11}{11+7}$=66(cm)

(보검이가 가져야 하는 리본의 길이)=$108×\dfrac{7}{11+7}$=42(cm)

❹ (윤아가 내야 하는 돈)=$20000×\dfrac{3}{3+7}$=6000(원)

(언니가 내야 하는 돈)=$20000×\dfrac{7}{3+7}$=14000(원)

❺ 하루는 24시간입니다.

(낮의 길이)=$24×\dfrac{7}{7+5}$=14(시간)

(밤의 길이)=$24×\dfrac{5}{7+5}$=10(시간)

평가 4. 비례식과 비례배분

14일 차

122쪽

1 (위에서부터) 12, 16 / 4
2 (위에서부터) 4, 7 / 5
3 2 : 5
4 2 : 3
5 25 : 21
6 1 : 3
7 8, 14
8 10, 6
9 6
10 10
11 2, 10
12 15, 12

123쪽

13 9 : 8
14 25 : 9
15 25
16 9
17 70
18 7 : 6
19 5000원
20 12개, 18개

13 (㉮의 넓이) : (㉯의 넓이)
=(㉮의 세로) : (㉯의 세로)=18 : 16=9 : 8
14 (㉮의 한 변의 길이) : (㉯의 한 변의 길이)=25 : 15=5 : 3
(㉮의 넓이) : (㉯의 넓이)=(5×5) : (3×3)=25 : 9
17 어떤 수를 ☐라 하면

$☐×\dfrac{3}{3+7}$=21, $☐×\dfrac{3}{10}$=21, $☐=21÷\dfrac{3}{10}$=70입니다.

18 (남학생 수) : (여학생 수)=84 : 72=7 : 6
19 도넛 10개를 사기 위해 필요한 돈을 ☐원이라 하면
4 : 2000=10 : ☐입니다.
⇨ 4×☐=2000×10, 4×☐=20000, ☐=5000
따라서 도넛 10개를 사려면 5000원이 필요합니다.
20 (시현이가 가져야 하는 귤의 수)=$30×\dfrac{2}{2+3}$=12(개)

(가온이가 가져야 하는 귤의 수)=$30×\dfrac{3}{2+3}$=18(개)

5. 원의 넓이

① 원주와 지름의 관계

126쪽

❶ ○

❷ ○

❸ ×

❹ ×

❺ ○

② 원주율

127쪽

❻ 3.1, 3.14

❼ 3.1, 3.14

❽ 3.1, 3.14

❾ 3.1, 3.14

❿ 3.1, 3.14

⓫ 3.1, 3.14

⓬ 3.1, 3.14

③ 원주

128쪽

❶ 3×3=9 / 9 cm

❷ 9×3=27 / 27 cm

❸ 5×3=15 / 15 cm

❹ 17×3=51 / 51 cm

129쪽

❺ 예 3×2×3.1=18.6 / 18.6 cm

❻ 예 7×2×3.1=43.4 / 43.4 cm

❼ 예 15×2×3.1=93 / 93 cm

❽ 예 5×2×3.1=31 / 31 cm

❾ 예 12×2×3.1=74.4 / 74.4 cm

❿ 예 20×2×3.1=124 / 124 cm

④ 원주를 이용하여 지름 구하기

130쪽

❶ 21.7÷3.1=7 / 7 cm

❷ 40.3÷3.1=13 / 13 cm

❸ 27.9÷3.1=9 / 9 cm

❹ 58.9÷3.1=19 / 19 cm

131쪽

❺ 25.12÷3.14÷2=4 / 4 cm

❻ 43.96÷3.14÷2=7 / 7 cm

❼ 87.92÷3.14÷2=14 / 14 cm

❽ 37.68÷3.14÷2=6 / 6 cm

❾ 62.8÷3.14÷2=10 / 10 cm

❿ 106.76÷3.14÷2=17 / 17 cm

⑤ **원의 넓이**

132쪽

❶ $3 \times 3 \times 3 = 27$
/ 27 cm^2

❷ $11 \times 11 \times 3 = 363$
/ 363 cm^2

❸ $7 \times 7 \times 3 = 147$
/ 147 cm^2

❹ $16 \times 16 \times 3 = 768$
/ 768 cm^2

133쪽

❺ 2 /
$2 \times 2 \times 3.14 = 12.56$
/ 12.56 cm^2

❻ 6 /
$6 \times 6 \times 3.14 = 113.04$
/ 113.04 cm^2

❼ 10 /
$10 \times 10 \times 3.14 = 314$
/ 314 cm^2

❽ 4 /
$4 \times 4 \times 3.14 = 50.24$
/ 50.24 cm^2

❾ 9 /
$9 \times 9 \times 3.14 = 254.34$
/ 254.34 cm^2

❿ 17 / $17 \times 17 \times 3.14$
$= 907.46$
/ 907.46 cm^2

⑥ **원주와 지름의 관계**

134쪽

❶ 2배
❷ 3배
❸ 3배
❹ 4배
❺ 4배
❻ 2배

⑦ **원의 넓이와 반지름의 관계**

135쪽

❼ 4배
❽ 9배
❾ 4배
❿ 4배
⓫ 16배
⓬ 9배

⑧ **원이 움직인 거리 구하기**

136쪽

❶ $6 \times 3.14 \times 5 = 94.2$
/ 94.2 cm

❷ $10 \times 3.14 \times 6 = 188.4$
/ 188.4 cm

❸ $18 \times 3.14 \times 3 = 169.56$
/ 169.56 cm

❹ 예 $2 \times 2 \times 3.14 \times 8$
$= 100.48$
/ 100.48 cm

❺ 예 $4 \times 2 \times 3.14 \times 2$
$= 50.24$
/ 50.24 cm

❻ 예 $7 \times 2 \times 3.14 \times 4$
$= 175.84$
/ 175.84 cm

⑨ **원의 넓이를 이용하여 반지름 구하기**

137쪽

❼ 3
❽ 5
❾ 10
❿ 4
⓫ 7
⓬ 11

❼ $\square \times \square \times 3 = 27$, $\square \times \square = 9$, $\square = 3$
❽ $\square \times \square \times 3 = 75$, $\square \times \square = 25$, $\square = 5$
❾ $\square \times \square \times 3 = 300$, $\square \times \square = 100$, $\square = 10$

❿ $\square \times \square \times 3 = 48$, $\square \times \square = 16$, $\square = 4$
⓫ $\square \times \square \times 3 = 147$, $\square \times \square = 49$, $\square = 7$
⓬ $\square \times \square \times 3 = 363$, $\square \times \square = 121$, $\square = 11$

138쪽

❶ 153.86 cm²　　❹ 228.5 cm²

❷ 37.68 cm²　　❺ 50 cm²

❸ 100.48 cm²　　❻ 128 cm²

139쪽

❼ 32.4 cm²　　❿ 39.6 cm²

❽ 124 cm²　　⓫ 99.2 cm²

❾ 72.9 cm²　　⓬ 116.25 cm²

❶
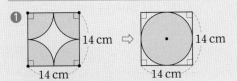

(색칠한 부분의 넓이)
=(반지름이 7 cm인 원의 넓이)
=7×7×3.14=153.86(cm²)

❷
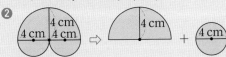

(색칠한 부분의 넓이)
=(반지름이 4 cm인 원의 넓이)÷2+(반지름이 2 cm인 원의 넓이)
=4×4×3.14÷2+2×2×3.14=37.68(cm²)

❸
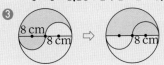

(색칠한 부분의 넓이)
=(반지름이 8 cm인 원의 넓이)÷2
=8×8×3.14÷2=100.48(cm²)

❹
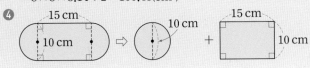

(색칠한 부분의 넓이)
=(반지름이 5 cm인 원의 넓이)+(직사각형의 넓이)
=5×5×3.14+15×10=228.5(cm²)

❺
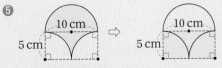

(색칠한 부분의 넓이)
=(직사각형의 넓이)
=10×5=50(cm²)

❻
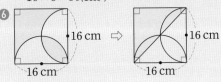

(색칠한 부분의 넓이)
=(삼각형의 넓이)
=16×16÷2=128(cm²)

❼ (색칠한 부분의 넓이)
=(정사각형의 넓이)−(반지름이 6 cm인 원의 넓이)
=12×12−6×6×3.1=32.4(cm²)

❽ (색칠한 부분의 넓이)
=(반지름이 7 cm인 원의 넓이)−(반지름이 3 cm인 원의 넓이)
=7×7×3.1−3×3×3.1=124(cm²)

❾ (색칠한 부분의 넓이)
=(정사각형의 넓이)−(반지름이 9 cm인 원의 넓이)
=18×18−9×9×3.1=72.9(cm²)

❿ (색칠한 부분의 넓이)
=(반지름이 12 cm인 원의 넓이)÷4−(삼각형의 넓이)
=12×12×3.1÷4−12×12÷2=39.6(cm²)

⓫ (색칠한 부분의 넓이)
=(반지름이 8 cm인 원의 넓이)
　−(반지름이 4 cm인 원의 넓이)×2
=8×8×3.1−4×4×3.1×2=99.2(cm²)

⓬ (색칠한 부분의 넓이)
=(반지름이 10 cm인 원의 넓이)÷2
　−(반지름이 5 cm인 원의 넓이)÷2
=10×10×3.1÷2−5×5×3.1÷2=116.25(cm²)

8일차

140쪽

1 ○

2 ×

3 3.1, 3.14

4 3.1, 3.14

5 18 cm

6 42 cm

7 15

8 3

9 77.5 cm^2

10 151.9 cm^2

141쪽

11 2배

12 4배

13 282.6 cm

14 6

15 8

16 112.26 cm^2

17 301.44 cm^2

---

13 (원이 움직인 거리)
$=30 \times 3.14 \times 3 = 282.6$(cm)

14 $\square \times \square \times 3 = 108$, $\square \times \square = 36$, $\square = 6$

15 $\square \times \square \times 3 = 192$, $\square \times \square = 64$, $\square = 8$

16

(색칠한 부분의 넓이)
$=$(반지름이 3 cm인 원의 넓이)$+$(삼각형의 넓이)
$=3 \times 3 \times 3.14 + 12 \times 14 \div 2 = 112.26$(cm^2)

17 (색칠한 부분의 넓이)
$=$(반지름이 14 cm인 원의 넓이)$-$(반지름이 10 cm인 원의 넓이)
$=14 \times 14 \times 3.14 - 10 \times 10 \times 3.14$
$=301.44$(cm^2)

6. 원기둥, 원뿔, 구

① 원기둥

② 원기둥의 밑면의 지름과 높이

1일차

144쪽

❶ (○)(   )(   )(○)

❷ (   )(○)(   )(○)

❸ (○)(   )(○)(   )

145쪽 ❗ 정답을 위에서부터 확인합니다.

❹ 8, 3

❺ 6, 5

❻ 4, 6

❼ 4, 7

❽ 8, 4

❾ 10, 6

③ 원기둥의 전개도

146쪽

❶ (○)(　　)(　　)
❷ (　　)(○)(　　)
❸ (　　)(　　)(○)

2일 차

④ 원기둥의 전개도에서 각 부분의 길이

147쪽 ❗정답을 위에서부터 확인합니다.

❹ 3, 10, 18　　❼ 8, 11, 48
❺ 4, 24, 12　　❽ 7, 42, 13
❻ 5, 30, 14　　❾ 6, 36, 15

⑤ 원뿔

148쪽

❶ (　　)(○)(○)(　　)
❷ (○)(○)(　　)(　　)
❸ (○)(　　)(　　)(○)

3일 차

⑥ 원뿔의 밑면의 지름과 높이

149쪽 ❗정답을 위에서부터 확인합니다.

❹ 4, 6　　❼ 4, 8
❺ 6, 8　　❽ 5, 10
❻ 7, 10　　❾ 3, 12

⑦ 구

150쪽

❶ (　　)(　　)(○)(○)
❷ (○)(　　)(　　)(○)
❸ (　　)(○)(○)(　　)

4일 차

⑧ 구의 반지름

151쪽

❹ 3　　❼ 4
❺ 5　　❽ 6
❻ 7　　❾ 8

⑨ 옆면의 가로의 길이를 알 때, 밑면의 반지름 구하기

⑩ 원기둥의 옆면의 넓이 구하기

5일 차

152쪽

❶ 4 cm　　❹ 5 cm
❷ 7 cm　　❺ 8 cm
❸ 10 cm　　❻ 9 cm

153쪽

❼ 372 cm^2　　❿ 868 cm^2
❽ 744 cm^2　　⓫ 669.6 cm^2
❾ 434 cm^2　　⓬ 1023 cm^2

❶ $24 \div 3 \div 2 = 4(cm)$
❷ $42 \div 3 \div 2 = 7(cm)$
❸ $60 \div 3 \div 2 = 10(cm)$
❹ $30 \div 3 \div 2 = 5(cm)$
❺ $48 \div 3 \div 2 = 8(cm)$
❻ $54 \div 3 \div 2 = 9(cm)$

❼ $10 \times 2 \times 3.1 \times 6 = 372(cm^2)$
❽ $15 \times 2 \times 3.1 \times 8 = 744(cm^2)$
❾ $5 \times 2 \times 3.1 \times 14 = 434(cm^2)$
❿ $20 \times 2 \times 3.1 \times 7 = 868(cm^2)$
⓫ $12 \times 2 \times 3.1 \times 9 = 669.6(cm^2)$
⓬ $11 \times 2 \times 3.1 \times 15 = 1023(cm^2)$

154쪽

❶ (위에서부터) 8, 7
/ 56 cm²

❷ 예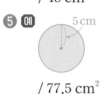
/ 60 cm²

❸ 예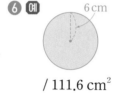
/ 60 cm²

❹ 예
/ 48 cm²

❺ 예
/ 77.5 cm²

❻ 예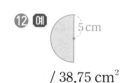
/ 111.6 cm²

155쪽

❼ (위에서부터) 5, 8
/ 40 cm²

❽ 예 4 cm 9 cm
/ 36 cm²

❾ 예 10 cm 7 cm
/ 35 cm²

❿ 예 8 cm 6 cm
/ 24 cm²

⓫ 예 4 cm
/ 24.8 cm²

⓬ 예 5 cm
/ 38.75 cm²

❶ 원기둥을 앞에서 본 모양은 가로가 8 cm, 세로가 7 cm인 직사각형입니다. ⇨ 8×7=56(cm²)
❷ 원기둥을 앞에서 본 모양은 가로가 5×2=10(cm), 세로가 6 cm인 직사각형입니다. ⇨ 10×6=60(cm²)
❸ 원뿔을 앞에서 본 모양은 밑변의 길이가 10 cm, 높이가 12 cm인 삼각형입니다. ⇨ 10×12÷2=60(cm²)
❹ 원뿔을 앞에서 본 모양은 밑변의 길이가 8×2=16(cm), 높이가 6 cm인 삼각형입니다. ⇨ 16×6÷2=48(cm²)
❺ 구를 앞에서 본 모양은 반지름이 5 cm인 원입니다.
⇨ 5×5×3.1=77.5(cm²)
❻ 구를 앞에서 본 모양은 반지름이 12÷2=6(cm)인 원입니다.
⇨ 6×6×3.1=111.6(cm²)

❼ 돌리기 전의 평면도형은 가로가 5 cm, 세로가 8 cm인 직사각형입니다. ⇨ 5×8=40(cm²)
❽ 돌리기 전의 평면도형은 가로가 8÷2=4(cm), 세로가 9 cm인 직사각형입니다. ⇨ 4×9=36(cm²)
❾ 돌리기 전의 평면도형은 밑변의 길이가 7 cm, 높이가 10 cm인 직각삼각형입니다. ⇨ 7×10÷2=35(cm²)
❿ 돌리기 전의 평면도형은 밑변의 길이가 12÷2=6(cm), 높이가 8 cm인 직각삼각형입니다. ⇨ 6×8÷2=24(cm²)
⓫ 돌리기 전의 평면도형은 반지름이 4 cm인 반원입니다.
⇨ 4×4×3.1÷2=24.8(cm²)
⓬ 돌리기 전의 평면도형은 반지름이 10÷2=5(cm)인 반원입니다.
⇨ 5×5×3.1÷2=38.75(cm²)

평가 **6. 원기둥, 원뿔, 구**

7일 차

156쪽

1 (○)(   )(   )
2 (   )(○)
3 (   )(○)(   )
4 (   )(   )(○)

5 (위에서부터) 6, 6
6 (위에서부터) 7, 8
7 4
8 (위에서부터) 2, 12, 9

157쪽

9 2 cm
10 6 cm
11 446.4 cm²
12 520.8 cm²

13 예 10 cm 7 cm
/ 70 cm²

14 예 4 cm
/ 49.6 cm²

15 예 12 cm 5 cm
/ 30 cm²

16 예 6 cm
/ 55.8 cm²

9 12÷3÷2=2(cm)
10 36÷3÷2=6(cm)
11 8×2×3.1×9=446.4(cm²)
12 14×2×3.1×6=520.8(cm²)

13 10×7=70(cm²)
14 4×4×3.1=49.6(cm²)
15 5×12÷2=30(cm²)
16 6×6×3.1÷2=55.8(cm²)